# 教養としての文明論

「もう西洋化しない」世界を見通す

呉座勇一
Yuichi Goza
與那覇潤
Jun Yonaha

ビジネス社

# はじめに

新型コロナウイルスでもウクライナ戦争でも、今や「専門家」がＳＮＳで「大衆」を「啓蒙」してくれる時代である。なにか新しい事件が発生すると、「専門家」がたちまち現状を「分析」し、背景を「解説」し、「処方箋《しょほうせん》」を出してくれる。それは、バッティングセンターでボールが打ち出されるたびにバットを振るような、反射的・反復的な行為である。その見事なバッティングを脇で見ている私たちは、もう本を買って読む必要すらないような気さえしてくる。

しかし、私たちは真の意味で知識を得て、じっくり問題を考えていると言えるのだろうか。確かにインターネットの発達は、とりわけ最近のＳＮＳの発達は、自分が知りたい情報に手軽にアクセスする手段をもたらした。「検索」さえすれば、私たちは、現在、どんな話題が注目されており、その話題への言及の仕方として何が「正解」かをすぐに知ることができる。けれども、私たちは「いま」の「トレンド」に関する膨大な情報の海に飲み込まれて、過去からの連なりとして現下の情勢を捉える、歴史的な思考を失ってはいないか。

本当に「いま」は「未曾有《みぞう》の事態」で、過去は参考にならないのか。「価値観をアップデート」して、「不正義」に満ちた過去の社会から「いま」を切り離し、理想の社会を一から構築することなど可能なのか。あまりにも「いま」の来歴、眼前の事象の歴史的な文脈が軽んじられ、その場その場の「最適解」を瞬発的に繰り出すゲームばかりがもてはやされていないだろうか。

むろん、時々刻々と変化する戦況をリアルタイムで解説することも重要である。けれども人命の懸《か》かった戦争の解説が、スポーツの実況解説と同じであって良いはずがない。自然科学なり地政学なり社会学なりといったもっともらしい衣をはぎ取れば、私たちが目にしているのは、「いま」起きている（ウイルスとの戦いや、ＳＮＳ上の口論などのバーチャルなものも含めて）戦闘の目撃者となれたことを嬉々として誇る、野次馬たちの自己顕示的な講釈にすぎないのではないか。そのような懸念が拭《ぬぐ》えない。

右に述べたような「いま」を絶対視する潮流に抗して、「いま」が歴史の流れの中の一コマにすぎないことを示すのは、歴史学の社会に対する責任であり使命であろう。ところが、日本の歴史学界はむしろ世間の空気に同調し、形だけの政権批判を続けつつ、その実、「いま」を無批判に受け入れている。

そのことを象徴するのが、新型コロナウイルス感染拡大抑止の名の下に政府が国民に強要した「自粛」への対応であった。「緊急事態」という「錦《にしき》の御旗《みはた》」に歴史学者たちは屈服し、それどころかロックダウンなど、より強力な行動制限を政府に求めた。戦時下の日本が、非常事態を口実に私権制限を行ったこと、必ずしも政府の取り締まりではなく、国民が自発的に「非国民」を吊るし上げる相互監視によって国民の自由が奪われていったことを、歴史学者たちは厳しく批判してきたのではなかったのか。

もはや日本の歴史学者たちに、歴史的経緯を踏まえた世界の見取り図を描いてくれることを期待することはできない。では、どうするか。歴史学者の端《はし》くれとして、私になにかできることはないか。

そのような悩み、問題意識を、私は知人である與那覇潤氏としばしば語り合った。いや、正確に言うならば、私が與那覇氏に感化された部分が大きい。歴史学者を廃業するほどに、與那覇氏の歴史学への絶望は深いからである。

我々二人が思いついた突破口は、往年の文明論の名著を読み直すことだった。すっかり廃《すた》れてしまったジャンルであるが、長く日本のビジネスマンに「世界の見方」を教えていたのは、作家・評論家・学者らの手になる文明史、文明批評であった。過去の文明から現代を見通そうとするそれらの語りは、「雑な床屋談義」としてアカデミズムに見下されつつも、学界と社会をつなぐ回路になっていた。

だが、今では文明論の伝統も絶え、書店に並ぶのは、歴史学者が書いたマニアックで小難しい歴史書と、歴史学の知見を全く無視したトンデモ本・ヘイト本だけである。ゆえに我々は、「いま」を相対化するために「古典」と呼ぶべき文明論を読むしかなかった。

本書で取り上げる本は、みな数十年以上前の著作である。一般に優れた著作であればあるほど、その本が書かれた時代が刻印されている。しかしながら、それは決して古くささを意味しない。優れた文明論は、時代性と同時に普遍性を備えており、歴史の風雪に耐える。現代の視点から読み直すことで、新たな発見が得られるのである。彼らの先見性や時代的限界を把握することで、「これからの文明論」を構想する手がかりをつかめよう。

書店に平積みされている「いま」を語る本の賞味期限は短い。あるいは本書もすぐに消えてしまうかもしれない。しかし、本書で紹介した著作は、今後も参照されるだろうし、参照されるべきだと思っている。

本書をきっかけに、文中で取り上げた著作はもとより、その他の優れた文明論に関心を持っていただければ望外の幸せである。

２０２４年３月21日

呉座勇一

# 教養としての文明論◉目次

はじめに　呉座勇一――3

## 第1章　梅棹忠夫『文明の生態史観』
――「ヨーロッパvsユーラシア」は宿命なのか

いまなぜ「文明論の復権」か――19
アカデミアの「内輪の相撲《すもう》」はもう要らない――22
文明は国家を相対化する――26
ウクライナ戦争を予見した世界地図――28
マルクス主義がつまずいた空白を埋める――31
「世界共通」の理論は本当にあるのか――34
ヒットの理由は「安心・脱力史観」?――36

「恵まれた戦中派」が持つフラットな視点――40
エマニュエル・トッドに勝る中国論――43
日本の知識人は「儒教社会」が大好き？――48
ユーラシア社会のコアは「政教一致」――50
冷戦後に変貌したイスラムとインド――53
21世紀の欧米は「第二地域化」に向かう？――56
日本のモデルは意外に「東南アジア」――59
文明論の「弊害」は乗り越えられる――61

## 第2章

# 宮崎市定『東洋的近世』

## ――GAFAの資本主義は世界を「中国化」する

日本生まれの「グローバル・ヒストリー」――69
遊牧民は破壊者でなく「交易者」――72
ユーラシアにも「封建制」は実はある――75

日本はいまでも「科挙以前の中国」?――78
意外に「競争」があった平安時代の貴族――81
身分制と「暴力の応酬」はトレードオフ――84
公金を吸い上げるＮＰＯは近世中国の「胥吏《しょり》」――87
税さえ払えば住民を把握しない「究極のネオリベ」――90
ＡＩや仮想通貨を煽る人の愚かさ――94
ＧＡＦＡの独占がもたらす「中国化する世界」――98
北宋期に流産した「主権国家」の外交――101
国境を引かない「帝国」のブラックホール――103
循環史観の起源はローマ帝国の衰亡?――106
日中戦争を「素朴と文明」で評価できるか――109
「原点回帰」で共通する朱子学とトランプ――112
原理主義の「リセット願望」が世界史を動かす――115
ユーラシアに「寛容な帝国」は甦《よみがえ》るか――117

# 第3章

## 井筒俊彦『イスラーム文化』
## ——「滅びない信仰」の源泉は天皇制も同じ？


イラン革命という「歴史観の転換」……123
「聖俗一致」で共同体を作るイスラーム……126
文明の本質は「部族主義」の克服……130
日本とイスラームが対極で、中国は真ん中……133
西欧の啓蒙主義が「イスラーム世界」を生む逆説……136
改宗を強制しないのは「寛大」なのか？……139
「絶対他力《たりき》」とプロテスタンティズムの類似……143
江戸時代はコーランと逆の「聖俗一致」……145
宗教の牙《きば》を抜く禅《ぜん》宗の「通俗道徳」……147
「鎌倉新仏教」の虚像と現実……150
浄土真宗はイスラームになりそこねた？……152

ムハンマドのメッカ帰還は「究極の徳政令」……155
宗教の相互扶助で食べてゆけるムスリム……158
シーア派はイスラームの「本居宣長《もとおりのりなが》」……161
ホメイニーを支えたイランの「皇国史観」……164
大川周明と天皇思想の危険な影……167
網野善彦の中世史がイスラーム理解のヒントに……170

# 第4章 高坂正堯『文明が衰亡するとき』
## ――冷戦期から「トランプ」を予見したリアリズム

いまも「現役」の国際政治学の遺産……177
シュンペーターが見た「商人国家」の限界……179
冷戦下で模索した「日本の立ち位置」……182
ヴェネツィアに投影された「吉田ドクトリン」……184
専制を抑える「合議」の制度化……187

外交史家は「貴族政」がお好き 189
もし高坂が北朝鮮との交渉を見たら 192
古代ローマは軍事では「後進国」 194
日本は中世から「シーパワー未満」 198
「先進国」を衰えさせる原理主義 201
冷戦に「敗れつつあった」アメリカ 204
リアリズムの敵は「悪」でなく「愚かさ」 207
トランプ現象を予見した慧眼 209
ベトナム戦争と「近代原理主義」の逆説 211
米国の「空洞化」を追いかけた平成日本 214
乗り越えられない「人口」の難題 216
「軍事なき海洋国家」は幻想なのか 218
いま衰亡論から学ぶべきこと 221

# 第5章

## 丸谷才一『忠臣蔵とは何か』
### ――事前に「革命」の芽を摘むJエンタメの起源


明るくなった江戸時代のイメージ……227
「史実」と「物語」の入れ子構造……231
秩序への不満を解消する「擬似《ぎじ》革命」……235
敗戦の記憶と一体だった「怨霊史観」……238
「近世の武士」は矛盾した存在……242
幕末から戦後を貫くデスパレートな情念……246
無思想な日本を動かす「感情の共有」……249
「安倍元首相暗殺」まで忠臣蔵で解釈する人々……252
為政者を「時の運」と捉えた中世のモラル……255
徳川綱吉以来の「意識高い系」揶揄……258
歌舞伎もライトノベルも「停滞社会」の古典……260

同調圧力と「冷笑系」の永遠の争い 265
歴史に支えられた「個人」でいるために 268

おわりに　與那覇 潤 273

# 第1章

## 梅棹忠夫『文明の生態史観』

### ──「ヨーロッパvsユーラシア」は宿命なのか

# 梅棹忠夫

（うめさお・ただお）　１９２０〜２０１０年

文化人類学者、京都市出身。京都帝国大学で今西錦司《きんじ》らに動物学を学ぶ。戦後は同大の人文科学研究所で教授を務めた後、国立民族学博物館館長（初代）。モンゴルなどの牧畜民のフィールドワークに基づく紀行文や史論で、文化人類学の魅力を初めて紹介したほか、ベストセラー『知的生産の技術』（１９６９年）をはじめとする情報社会論の先駆者でもあった。

使用テキスト＝『文明の生態史観』中公文庫（改版）、１９９８年
核となる論考「文明の生態史観序説」は１９５７年に発表。同論文を中心に、関連するエッセイをおおむね発表順に収録して、単行本『文明の生態史観』は67年に刊行された。

## ❖いまなぜ「文明論の復権」か

**與那覇**：本書では「教養としての文明論」というコンセプトで、２０２０年代に再読する価値のある5冊の名著を読み解いていくわけですが、実はそうした提案を呉座さんにいただいて少し驚きました。おそらく読者は、もっと意外な感じをいま受けていると思うので、そこを最初にうかがいたいんです。

多くの読者が持つ呉座さんのイメージは、２０１６年に『応仁の乱』（中公新書）をベストセラーにした「実証史学ブームの立役者」でしょう。そして、同書以降に増えた「実証史学こそが本物の歴史で、それ以外の歴史トークには価値がない」というタイプの人って、文明史のような語りはむしろ嫌うじゃないですか。「文明」といった大雑把《おおざっぱ》なくくりでの議論自体が無価値であり、史料に基づく「実証」によって正すべきだと言って。

**呉座**：まあ、そうですね。実際にいまは文明論という用語を「雑な議論」の意味で使う人もいます。居酒屋談義とか井戸端会議とか、そうした悪口の同義語として「そんなものは文明論に過ぎない」と言ってしまう。

**與那覇**：一般にはそうした「アンチ文明論」の潮流を作った人のように思われている呉座さんが、あえて「文明論の復権」こそがいま必要だと。そう感じた理由をまず聞いてみたいのですが。

**呉座**：そもそも「実証史学の権化《ごんげ》」のように思われてきたこと自体、私にとっては違和感があったんですよ。『応仁の乱』より前に発表した『一揆《いっき》の原理』（洋泉社、2012年。現在はちくま学芸文庫）や『戦争の日本中世史』（新潮選書、14年）は、むしろ大きな見取り図を示そうとした著作で、蛸壺《たこつぼ》化する日本史学界への異議申し立ての意味を込めていました。

今の歴史学界というのはどんどん細分化して、最新の研究ほど「重箱の隅《すみ》をつつく」感じになっています。もちろん学界の中の論理としては、そうした先行研究との「微細な違い」が大事だということになるんですけど、それだとアカデミアの外にいる一般の読者には、「歴史を学ぶ意味」がなにも伝わらないと思うんですよね。

結果として、與那覇さんが『歴史なき時代に』（朝日新書）で書かれたように、歴史学に基づく書籍や論説のメッセージが、社会にまったく届かない状況が生まれている。なので『応仁の乱』がヒットした後には、「ひとつの争乱を細かく描きます」といった歴史本がウケたものの、ちょうど重なるような形で、やたらと大きな話のブームも来て。

**與那覇**：ユヴァル・ノア・ハラリらの、ビッグヒストリーですよね。世界的に読まれた『サピエンス全史』（河出文庫）の英語版が、２０１４年でした。ハラリ自身は歴史学者を名乗っていても、彼の本の内容はむしろ、進化生物学に基づく未来学とでも言うか……。

**呉座**：動物行動学みたいなところから入って、「ではヒトの特徴とはなんでしょう？」という方向に進む議論だから、もう歴史を飛び越えちゃってるんですよね。そうした風潮に乗ってバズワードになったのが「人新世《じんしんせい》」ですが、これは「更新世」「完新世」に続くものとして提案された地質学の概念（学術用語としては否決されるなど賛否あり）ですから、ひとつの時代区分が10万年以上に及ぶ単位の話。完全に歴史学のスケールを超えているし、それこそ文明以上に大くくりな「人類」という単位で考えてしまうわけでしょう。

時代や地域によって、「同じ人間」といっても社会の前提や行動の様式が「いかに違うか」を歴史学は描いてきたわけで。そうした歴史学の知見が切り捨てられ、「人類」として一括する語りに代替されてしまう流れには抵抗があります。

**與那覇**：実際にハラリらを読むと、ヒトがサルの一種に過ぎなかった「動物時代」、それが科学に基づき世界の支配者となった「人間時代」、そして逆に新たな技術に追い抜かれる「AI時代」の三区分さえあれば、それ以上に複雑な話は要らないんだなと思えてしまう（笑）。AIは画期的ですよとか、ヒトによる環境破壊を止めようといったアピールには使えるのでしょうが、しかし歴史の名に値《あたい》するかと言われればNOですよね。むしろ、ポストヒストリー（歴史の概念が死滅した後の時代）の表れでしょう。

## ❖ アカデミアの「内輪の相撲《すもう》」はもう要らない

**與那覇**：一方で、歴史学の動向に通じた読者からは「だったら、グローバル・ヒストリーみたいな研究ではダメですか？」という声が上がりそうですが、ここはいかがですか。

**呉座**：うーん、私は現状のグローバル・ヒストリーには批判的で、歴史学界の中の「内輪でとる相撲」になっていると思うんです。まずは他の研究者の歴史叙述を、「一国史（たとえば日本史）の枠に閉ざされている」と批判する。対して自分は諸外国との接点を重視し、海外の学者や他国史の研究者と連携して、国際的・分野横断的に研究していると誇るわけです。

でも学界の外にいる普通の読者にとっては、そもそも一国史としての日本史のイメージすら、いまや持つことが難しくなっている。完全に求めるものが食い違っていないでしょうか。

**與那覇**：そうですよね。呉座さんがかつて批判した百田尚樹《ひゃくた》さんの『日本国紀』（幻冬舎文庫）だって、普通の読者が日本史の全体像をもう把握できないから、その空白を「小説家の私が埋めてあげます」という形で出てきている。そんな状況で「一国史はよくない」みたいな高望みを語られても困ると（苦笑）。

**呉座**：また日本のグローバル・ヒストリー研究には自己矛盾があって、本来のグローバル・ヒストリーは「学問におけるヨーロッパ中心主義を相対化する」という問題意識で出てきたんです。ところが日本人は、それを「欧米ではこれが旬《しゅん》の潮流だから」という風に取り入れる（笑）。そういう借り物の問題意識に基づくグローバル・ヒストリーではむしろ西洋中心主義の上塗《うわぬ》りというか、よりこじれた形になってしまいます。

そう考えたとき、かつては日本人の著者が自らの学識や経験を踏まえて、日本社会の現状に対するアクチュアルな問題意識を込めて独自の文明史・文明論を書き、しかも広く読まれていた。そうした成果に学び、日本に土着の「世界史の見方」を磨いてゆく方が、欧米中心の歴史観を本当の意味で相対化してゆける気がするんですよね。

**與那覇**：僕自身、学問的に書かれた文明論にはいまも大事な作法があって、それは悪口としての「文明論」の弊害を矯《た》めるものでもあったと思っています。いま多くの読者が「雑な議論」という意味での文明論と聞いて想像するのは、「すべてを単一の二項対立に落とし込む」タイプの論じ方ですよね。農耕民族・対・遊牧民族、とか。あるいは多神教・対・一神教、とか。

しかし比較文明学会が１９８３年に設立されて、いまもあるわけですが、そこで説かれていたのは文明を「複合的に見る」ことだったと思うのです。たとえば「農耕民族で一神教」の場合も、「遊牧民族で多神教」の場合もあるよと掛《か》け算をすれば、先ほどの二項対立でも四択にはなる。そこに政治体制（民主主義か権威主義か）、経済体制（資本主義か社会主義か）、家族構造……のように複合性を足していくことで、むしろ粗雑な「〇〇型の文明は全部こうだ」式の議論をたしなめることが意図されていた。

**呉座**：そのとおりで、アカデミアがいかに軽視しようが、文明論にはニーズがあるわけです。国際情勢が波乱を呼んだり、ビジネスの上で異なる文化の人とつきあったりする時、手がかりとしてどうしても参照したくなる。

そうした時、著者の個人的な体験ひとつで「アメリカ人はこう」「中国人はこう」のように決めつける、本当にいい加減な文明論しかマーケットに出回っていなかったら、それが普通の読者の歴史観を席巻《せっけん》してしまう。そうした状況は排外主義的な陰謀論の温床《おんしょう》にもなるので、対抗するには「良質な文明論」を、むしろ積極的に供給してゆかないといけない。実際、戦後の日本ではかなりの程度それができていたと思うんですよ。

## ❖文明は国家を相対化する

**與那覇**：こうした観点で、採り上げる1冊目は梅棹忠夫（文化人類学）の『文明の生態史観』。書名のとおり「文明」というユニットで歴史を考える意義として、ちょうど参考になる指摘が2か所に出てきます。

ひとつは122ページに、ヨーロッパは古代のギリシア・ローマ文明を受け継いだと言っているけど、梅棹さんはそれは違うと。また232ページには井筒俊彦さんから聞いたとして、エジプトの知識人の面白い言葉を引用し、要は「エジプト人はギリシア文明の伝統を受け継いだのだから、東洋人ではなく、むしろヨーロッパ人だ」とする自意識があるのだと。

国という単位で見ると、エジプトはアフリカ大陸にあるんだから「ヨーロッパなわけがないでしょ」と思う。でも文明という別の単位を設けることで、そうした自明性を一回崩すことができる。そこが本来の文明史の意義だと思うんですね。

**呉座**：おっしゃるとおりです。古代には「地中海文明」というものがあり、そこではギリシアとエジプトを「前者は西洋、後者は東洋」のように区別する意識はおそらくなかった。たとえばエジプトにあったアレキサンドリア図書館は、そうした地中海文明の知的な成果を収蔵する場所として、当時の世界で最大の威容を誇りました。

ヨーロッパは近代化する際に、古典として伝えられたギリシア・ローマの政治思想を参照し「われらこそ、その後継者なり」と位置づけたわけですが、それはあくまでも彼らの「自己イメージ」に過ぎない。梅棹が示唆しているのもそういうことでしょう。

**與那覇**：つまり文明という視点で歴史を書くことは、国家を相対化する点で、それこそグローバル・ヒストリーと同じ効能を持っているわけですよね。これは視野を一国に限っても言えることで、たとえばギリシアという国は今もあるし、かつてギリシア文明というものがあった史実もみんな知っているけど、今日のギリシア人が「ギリシア文明の下で生活している」と思う人は誰もいない（笑）。文明という単位で捉えることで、国名が続いていても「文明としては滅んだ」という認識を持つことができるわけです。

最近多いのが、「日本文明」という言い方を「日本はワン・アンド・オンリーで偉大だ」という意味で使う人がいるでしょう。で、それを忌避《きひ》するあまり、日本を文明として捉えるのは「右翼」であり、文明論は必然的にナショナリズムにつながるんだと叩き出す人もいる。そうした人たちはそもそも、文明というものの語義を知らないいんでしょうね。

**呉座**：そうなんですよ。ローマ文明のように、後から見ると非常に広範かつ複数の「国」に影響を及ぼす文明もあるし、また世界的に見れば文明を担う民族の移動もあります。同じ地域にずっと同じ文明が続くとは限らず、異民族の侵入によって滅ぼされたり、また居住者は同じでも「以前とは異なる文明」を選択することがあり得る。

日本の場合はたまたま「日本文明」が成立して以来、一時的な戦争を除けばそうした事態が起きなかったので、「日本史」と「日本文明史」とが一致して見える。文明論とは自国賛美的なナショナリズムの土台だ、といった思い込みこそ、日本でしか通用しない内向きの偏見なんです。

## ❖ ウクライナ戦争を予見した世界地図

**與那覇**：さて、それでは梅棹さんの文明論の内実を見てゆくと、なんといっても非常に有

**図1　生態史観に基づくユーラシアの模式図**

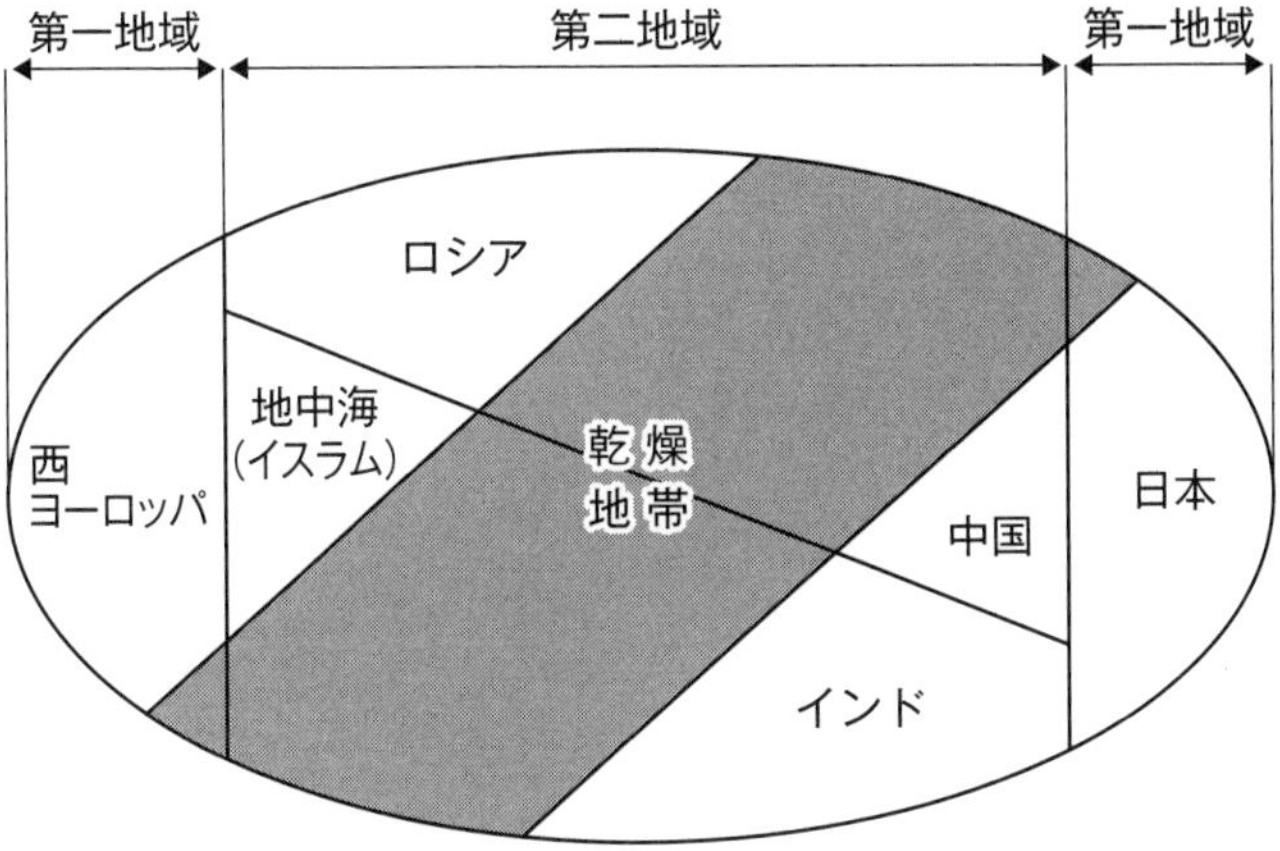


出所：梅棹忠夫『文明の生態史観』を基に作成

名なこの図ですよね（図1）。日本とヨーロッパからなる「第一地域」が東西の両端にあり、これは中世期に封建制が成立した点で共通すると。

一方その両者に挟《はさ》まる「第二地域」、つまりはユーラシア大陸ですが、こちらは分権的な封建制ではなく巨大帝国が成立する点が特徴である。そうした帝国ができる範囲として、「中国・インド・ロシア・地中海（イスラム）」の四区分に分かれるのだけど、しかしいずれも大陸の中心部から遊牧民の侵攻を受けることで、定期的に王朝が転覆され、すべてがリセットになる。

梅棹がこのアイデアを最初に示したのは『中央公論』に寄せた1957年の論文（図

版化は翌年）で、そんな単純な構図で全世界史がわかるとは「ざっくりしすぎだ」とする批判は当時からありました。ところがそこから65年後の2022年にウクライナ戦争が起きると、ほとんどの人が（自覚なしに）梅棹の図式をなぞっている。

**呉座**：ものすごく今日的な意味が、期せずして生まれてしまったんですよね。梅棹によれば、帝国が基本形態だった「第二地域」は、自由民主主義的な近代化には向いていない。執筆当時は冷戦下だったわけですが、東側で行われている社会主義は「資本主義の矛盾を解消した体制」ではなく、スターリンや毛沢東のような「皇帝的な指導者による専制体制」になっている。梅棹はそうした含意を明らかに込めています。

まさにいま、ウクライナ戦争で語られている構図ですよね。冷戦後には一瞬ロシアも民主化するかと思われたけど、やっぱりそれは無理で、これからプーチンは習近平と一体化すると。そうした中露（第二地域）の「反・民主主義陣営」がユーラシアを覆《おお》ってしまう事態を防ぐには、日本とヨーロッパ（第一地域）が「民主主義陣営」として結束することが大事で、西側諸国すなわち第一地域側が勝つには、第二地域のうちインドや中東諸国をどう味方に引き込むかが鍵を握ると。

直接、梅棹を引用してウクライナ戦争を論じる人は少なくても、あたかも全員が彼のチャートを片手に持って、国際情勢を云々《うんぬん》しているかのような状況が生まれています。

## ❖マルクス主義がつまずいた空白を埋める

**與那覇**：なぜソ連が健在だった１９５７年の論文が、「ポスト『ポスト冷戦』」とまで呼ばれる目下の世界情勢と符合してしまうのか。そこには意外に知られていない、初出時の時代背景があると思います。

梅棹の論文が評判を呼んだ翌年の58年に、文芸評論家の江藤淳が「神話の克服」という文章を書いています（『戦後と私・神話の克服』中公文庫）。江藤も当時、いま風に言えば「若手論客のホープ」的な地位を得ていたのですが、露骨に梅棹の人気ぶりに嫉妬《しっと》している（笑）。しかしその批判は鋭くて、梅棹が起こした「ざっくりした生態史観」のブームは、戦前にあったシュペングラーの『西洋の没落』ブーム（原著は１９１８～22年）の焼き直しに過ぎないという。

ではなぜ焼き直しが起きるかと言うと、江藤が意識しているのは「マルクス主義史観の崩壊」なんです。それまで信じられてきた歴史観が説得力を失い、どう歴史を捉えたらいいかわからない空白が生まれると、ムードだけのふわっとしたものでもいいから「現状を説明してくれそうな歴史の語り」が求められる。

一般にマルクス主義史学が「終わった」とされるのは、1989年の冷戦終焉で、僕も『平成史』（文藝春秋）ではそう書きました。でも細かく見ていくと、50年代の半《なか》ばにもあったわけじゃないですが、終わりというか挫折が。

**呉座**：なるほど、「国民的歴史学運動」ですね。與那覇さんとは昔、それと日本中世史の関係について議論したこともあります（與那覇『歴史がおわるまえに』亜紀書房に再録）。

国民的歴史学運動は、日本史の中から輝かしい「民族文化」を発見して誇りを持たせ、アメリカの帝国主義から日本を独立させようとうたった左派系の民族解放運動です。石母《いしも》田正《だしょう》や松本新八郎らマルクス主義の歴史学者が主導し、多くの歴史家や学生が賛同しました。それだけなら悪くなくも思えますが、この運動は、日本共産党の所感派（当時の主流派）の武装闘争路線を前提としていました。1950～53年の朝鮮戦争を背景として、スターリンが米軍の後方基地である日本を攪乱《かくらん》すべく指示したものだとされています。

そのため、運動はサークル活動や聞き取りに基づく民衆史の探究や紙芝居・人形劇など実践的な歴史教育といった平和裏な活動では収まらず、武装闘争へと発展しました。当然ながら大失敗に終わり、55年の日本共産党の第6回全国協議会（六全協）で、そうした武装闘争路線は「極左冒険主義」だったと否定される。

日本で武力革命を起こすために頑張ってきたのに、目標が急に消滅して途方に暮れてしまう。それが１９５７年当時の日本の、左派寄りの知識人たちの心理状況でした。

**與那覇**：左翼やインテリのみに限らず、当時の世相として江藤が挙げる例では、57年に三島由紀夫の『美徳のよろめき』（現在は新潮文庫）がベストセラーになります。有閑階級の夫人が不倫しまくるだけの話ですが、突然の大停電の夜に「これは革命の勃発によるもので、私たちもついにおしまいかしら」と空想を抱くシーンがある。でも、いったいそれがどういう革命なのかは、ぼんやりしてまったく語られない。

つまり、これこれの条件が揃《そろ》うと革命が起きて、資本主義から社会主義へ移行するんだと。そうした説得力を持つ強い歴史観は失墜してしまい、亡霊のように「なんか世の中、不安定だね」といった空気だけが残っていた。そこに清涼剤のように現れて「大丈夫、革命は第二地域でしか起きません。その理由をご説明します」として読者をさらっていったのが梅棹史観だと、江藤はそういう理解ですね。

## ❖「世界共通」の理論は本当にあるのか

**呉座**：実はマルクス主義史学の内部でも、大きな争点に「アジア的停滞論」というものがありました。マルクスは世界史の基本法則、つまり全世界が同じルートで革命へ進むのだと主張する裏面で、しかしアジアだけは特殊だとも示唆していたんです。収奪的な「アジア的専制」は民衆を徹底的に押しつぶし、無力化するので、もはや革命に向かうルート自体に乗れなくしてしまうと解釈できる文章も残している。もっともマルクス本人が自分で研究したのはインド社会なので、マルクスが「アジア」と言う時は南アジアが念頭にあったようです。

**與那覇**：マルクスはユダヤ系ドイツ人ですが、1849年に英国へと事実上亡命してからは、大英図書館の蔵書を読み漁《あさ》って『資本論』（第一巻が1867年）を執筆しましたからね。言うまでもなく当時、インドはイギリスの植民地でした。

**呉座**：ええ。梅棹の論文と同じ1957年に原著が出た、ウィットフォーゲルの『オリエンタル・デスポティズム』（邦訳は新評論）は「反共主義の古典」と呼ばれますが、もともとは本人もマルクス主義者でした。ウィットフォーゲルは生産様式の違い、すなわち雨水に頼る天水農法の地域と、大規模灌漑《かんがい》農法を行う地域とを対比し、両者では歴史が発展するコースが異なると主張した。

そしてロシアや中国で実現した社会主義は、実は巨大運河をはじめとする灌漑事業を通じて絶対権力を確立した古代の「アジア的専制」の継承者で、だからいまも独裁なのだと。それぐらいマルクス主義陣営の内部でも、アジアで本当に「マルクスが描いたとおりの革命はできるのか？」は疑問が持たれていたんです。

だから50年代前半の朝鮮戦争で「半島の統一」も「日本の革命」も現に失敗すると、マルクス主義史学はしゅんとしてしまい、そうした歴史観の空白を梅棹理論が埋めました。もっとも60年代半ばにベトナム戦争が本格化し、北ベトナムの側が世界の共感を集めて優位に立つと「やはりアジアでも革命は可能だ！」として息を吹き返しますが、両者の狭間《はざま》の「マルクス主義がいちばん元気のなかった時期」に出たために、梅棹史観は結果的にポスト冷戦期の世界認識を先取りしている。

**與那覇**：心配なのはいま、ウクライナ戦争の帰趨《きすう》が当初の予測と反転しているでしょう。2022年の開戦の当初は、国際政治学を中心とする学者たちが「これは民主主義と権威主義の戦いだ」「支援すればウクライナは勝てるので、ロシア軍を押し戻すまで停戦すべきではない」と主張した。僕も含めて、多くの人がそれを信じました。

ところが現実はむしろ逆になり、彼らの主張は「西側世界に限られた議論だった」「あてはまらない地域では別に役に立たない」といった空気が広がり始めている。誰かが梅棹のように新しい座標軸を示さないままでは、学問不信とニヒリズムが蔓延《まんえん》するだけになってしまいます。

## ヒットの理由は「安心・脱力史観」？

**與那覇**：江藤による梅棹ブームの読み解きに話を戻すと、まさにこの点で重要なのがシュペングラーとの対照です。第一次世界大戦によって「西洋を筆頭に人類は進歩している」という歴史観が崩壊した後は、没落あるのみだとする悲観主義的な物語が求められた。ところが日本の革命はもうだめだとなった後の梅棹史観は、「別にいいじゃないですか。第一地域と第二地域はそもそも違うんだから」と妙に楽観的。

これはもちろん、梅棹さん自身が反共の人だったからではあるんですが、日本人がみな当時楽天的だったのだと考えると判断を誤る。むしろ「われわれはこうしたコースに乗っている」という羅針盤《らしんばん》が崩れ去り、誰もが不安だった時代だからこそ、安心させてくれる明るい歴史語りが求められたと見るべきでしょう。

**呉座**：そう思います。與那覇さんが昔書かれたように（『日本人はなぜ存在するか』集英社文庫）、１９５６年の経済白書に「もはや『戦後』ではない」というフレーズが載った時は、ポジティブな意味ではなかった。「戦後」であれば、戦災で破壊されたものを再建するだけで経済が成長するけど、そういう戦後復興の時期はもう終わった（戦前並みには回復した）ので「これから大変ですよ」という趣旨だったんですよね。

後から見ると、その時期にはもう高度経済成長が始まっていたのですが、当時はそうは思われていなかった。60年安保の頃までは、多くの知識人が資本主義のままではやがて行き詰まると考えていたし、彼らのリーダーだった丸山眞男《まさお》も「高度成長が起きるとはまったく予見できなかった」と回想しています（『自由について 七つの問答』編集グループSURE）。

マルクス主義者だけではなくて、戦後の日本人の全体が、50年代の後半には先のビジョンがはっきりしない不安に覆われていた。そこに梅棹さんが現れて「同じ第一地域だから、放っておいてもヨーロッパと同じになれます」と言ってくれたのは、めちゃくちゃ元気の出る話だったでしょう（笑）。しかもその根拠が生態学というのがよかった。

マルクス主義で革命をめざす側も、反共主義でそれを止めようとする側も、基本的には人間の「生産力」を発展の根拠と見なします。つまり人間が頑張って働き、その度合いに応じて各地域の発展段階が決まってゆくわけですが、梅棹の場合は自分の生態史観の世界絵図は「ケッペンの気候区分がヒントです」と、さらりと言ってしまう（216頁）。植生や地形のような自然の条件のみで、たとえ日本人がなにもしなくてもヨーロッパと同じコースが約束されていると示唆する、究極の安心史観になっている。

**與那覇**：なんていうか「脱力反共主義」なんですよね（笑）。国民の気概で赤の脅威に立ち向かえ、みたいな方向には行かない。だから左翼も嫌だけど右翼もかんべん、という普通の読者も入っていきやすい。

単行本としての『文明の生態史観』の刊行は１９６７年で、当初は中公叢書でしたが、冷戦の終焉後に同じ叢書から番外編の『文明の生態史観はいま』が出ています（２００１年）。そこでの梅棹の回想が面白くて、彼は高度成長期には情報社会論の先駆者になりますが、情報に注目したのも反マルクスゆえだったとほのめかしている。生産や労働といった「下部構造」が価値の源泉であり、歴史を動かすとするマルクス主義者が軽んじてきた表層的な部分の方が、むしろ世の中を変えていくと言いたかったようですね。

**呉座**：本書の175ページで、生態史観はそもそも「べき」の議論ではない、と言っていることとも通じますね。この部分は『中央公論』に載せた論文がウケた後、同じ１９５７年に行った講演ですが、当時「べき」の議論といえばマルクス主義や近代主義なわけです。つまり人間が強い主体性を持って「あるべき」社会をめざすことで、歴史は動いていくとする立場。

梅棹さんはそれを皮肉って、俺の生態史観は違うぞと明言するのですが、そうした姿勢が結果的に、ポスト高度成長期の社会を言い当てた側面はあります。世の中は結局、自然の初期条件や無自覚に拡散される情報によって「なるようになる」のであり、人為的な狙《ねら》いに沿って動かすのは限界がある。一見すると人間が社会を動かす主人公に見えても、無意識のレベルでは、合理性のない慣行の上で踊っているだけかもしれません（詳しくは第5章参照）。

近年の地政学ブームにも、ある地域の運命は「最初から決まっている」的な論調が見られますが、その内容が梅棹の世界地図のコピーになりがちなのは、一種の隔世《かくせい》遺伝とも言えるでしょうね。

## ❖「恵まれた戦中派」が持つフラットな視点

**與那覇**：高度経済成長が本格化する前夜に、梅棹は類《たぐい》まれな楽天家でそこがウケたわけですが、興味深いことに本人はそのゆえんを「戦中派世代」であることに求めています（173頁）。より年上の世代である戦前派なら、ヨーロッパには本質的に日本より優れた部分があり、圧倒的に「先に進んでいる」という風に思考する。でも自分はそうじゃないので、ユーラシアの東西にあったことが幸いして、欧州と日本はそれぞれ独自に発展したとする「平行進化説」になるんだと。こうした世界全体をフラットに眺《なが》めるセンスには、フィールドワークで現地を歩きながら考える文化人類学がぴたりと合っていた。

もうひとつ幸運な偶然があって、戦中派を自認する梅棹さんは1920年生まれですが、これは山本七平の1つ上なんです。山本の場合は青山学院の高等部にいる際に徴兵され、フィリピン戦線で地獄のような思いをするけど、梅棹さんは京都帝大の理学部で、かつ大学院への進学時に入営を延期してもらえたから出征せずにすんだ。国策協力でモンゴルの研究所に派遣はされましたが、前線で銃を担ぐのとはまったく違う。

**呉座**：それは非常に大きいですよね。戦前派の代表は丸山眞男ですが、彼は1914年生まれで東京帝大法学部の助教授にまでなっていたのに、二等兵として召集されてひどい目にあっている。大学出の丸山は周囲からねたまれ、農村出身で小学校しか出ていない一等兵に、リンチで殴られていたと言われています（苅部直『丸山眞男』岩波新書）。

そこに歴史学的なものの見方（丸山の専門は日本政治思想史）が重なると、どうしてもヨーロッパに比べて日本は遅れており、十分な近代化を達成しなかったから愚かな戦争をしたという意識になる。特にマルクス主義史学の場合は、その「明治維新の後も残り続けた、前近代的な非合理性」を封建遺制、封建制の残滓《ざんし》だと呼びました。つまり戦後の日本では、封建制と言えばネガティブなイメージだった。

梅棹の生態史観は、ここでも価値転倒を起こしたわけです。つまりユーラシアの全体を視野に入れると、中世期に封建制が「あった」こと自体が珍しい現象で、現にヨーロッパでは封建社会の身分制議会を前提として近代的な国民議会が成立した。権力が一か所に集中する帝国と異なり、権力の所在が分散して互いに牽制《けんせい》する封建制は、むしろ自由民主主義へと発展してゆく土台になり得るもので、決して悪くないんだよと。

**與那覇**：そういうニュートラルな封建制の理解では、戦前にイェール大学で活躍した朝河《あさかわ》貫一が、フランスのマルク・ブロックと共同研究を試みたといった挿話がありますね。梅棹さん自身は117ページで、カルブーンという人の編んだ比較封建制論の論集（1956年刊）を挙げている。そうした研究動向は、戦後の歴史学会では受け継がれなかったのでしょうか？

**呉座**：梅棹さんも本書でよく「歴史学の研究では……」といった話をしますが、私の見るかぎり、それが指すものは当時主流だったマルクス主義史学とはズレています。戦後初期の日本で「封建制の比較史」のような問題意識を持っていたのは、中田薫《かおる》や弟子の石井良助など、法学部で「法制史」を担当する研究者で、文学部の史学科を基盤とする狭義の歴史学とは別系統でした。そのギャップは非常に感じます。

たとえば封建制の有無で第一地域と第二地域を分けるのは、「日本はもともとアジアじゃないよ」と主張するのに等しいから、究極の脱亜論ですよね。しかし明治期に福沢諭吉が唱えた脱亜論は、戦後は「アジア蔑視の原点」だと捉えられて、左派優位の歴史学界では非常に評判が悪かった。梅棹さんはそうしたグループとは無縁だったから、ここまで書けたのかなという気もします。

## ❖ エマニュエル・トッドに勝る中国論

**與那覇**：実際にいまも脱亜論的というか、「日本はヨーロッパと同じ先進国だから、中国なんか無視していい」とする主張の根拠に、梅棹史観を持ち出す向きもありますよね。

ですが梅棹さんの本の豊かさは、そうした単純な構図からはみ出る部分をいっぱい持っている。今の識者でいうと、エマニュエル・トッドなどに近いことも書いています。つまりユーラシアの第二地域を、単に「遊牧民に破壊され荒廃した後進地域」とだけ見ているわけではない。

たとえば72ページに相続制度の話があります。梅棹いわく、中国が伝統的に均分相続制（厳密には男子のみ）であることは知っていたが、パキスタンとインドに行って、西南アジアでもやはり均分相続だと気づいた。逆に「先進的」に見える第一地域の日本とヨーロッパは、かつては長子相続制（家産を長男がすべて継ぐ）であり、つまり平等性の面で劣っていた。

**呉座**：大きな歴史の逆説ですよね。富が十分でない前近代の段階で、平等に均分相続すると、築いた家産が細分化されて、世代ごとにリセットされてしまう。これだと大きな事業に挑戦する元手が蓄積されず、いつまでも工業化へのテイク・オフができない。
そうした議論が冷戦下では、「近代化論」（円滑な資本主義への移行の条件を探る歴史研究。

主唱者はハーバード大教授で、駐日大使も務めたエドウィン・ライシャワー）の骨格として語られました。その意味では第二地域は、平等性の面で「進みすぎていた」ために近代化できなかったとも言えます。

これに対して日本では、江戸時代になると長子相続が農民層にも定着し、家という単位で蓄《たくわ》えた財産は、ひとりだけ（規範的には長男）が独占して継いでゆきます。そうした地方名望家的な富農層が、明治以降には議会政治や産業革命を担ってゆく。

しかし與那覇さんも『中国化する日本』（文春文庫）で描いたように、裏面で犠牲になるのが次男・三男たちで、彼らはなにも継げないから江戸・東京といった都市に出て、劣悪な労働環境で働いて早死にしたりもする。ナイーブに「封建制を持つ第一地域の方が、前近代から平和でよかった」とは言えない面がありますよね。

**與那覇**：同感です。さらに重要なのは、150ページでもまた梅棹は家族形態と相続制度の話を書いている。非常にざっくりした議論で、トッドのように緻密な統計に基づく論証はありませんが、しかし実はトッドよりも正鵠《せいこく》を射ている部分もある。

梅棹さんはここで、平等な均分相続が前提だった中国やインドは「封建制をくぐりぬけてきた諸地域が、最近ようやくたどりついたところの、近代的状態に、はじめからあった」とまで書く。一方で、そうした平等ではあるがみんなが零細になる相続制度の結果、家族というよりは部族に近い規模の「超家族的集団」が生まれてしまい、それが近代化の制約になっていると議論を進める。

超家族的集団の内容はあまり具体的に描かれませんが、僕は全体の筆致から、中国の宗《そう》族《ぞく》やインドのカーストのような性質を想定していると読みました。つまり、同じ家屋に同居するという意味での家族ではなくて、むしろ「血縁ネットワーク」に近い。

**呉座**：中国の宗族は、まさに単に家産を分割するだけでは各自が窮乏《きゅうぼう》化するだけだから、一種の保険というか、バックアップとしてあるわけですよね。

父系血縁でつながっている膨大な「親戚一同」の中から、この子は類まれな秀才だという神童を見つけたら全員でその子に送金し、超一流の家庭教師をつけて科挙に合格させ、権力者になってもらって後から元をとると。投資と利益分配のネットワークとして「つながっている」ことが大事なので、同じ家屋や居住地に集まっている必要はない。

**與那覇**：そうなんです。一方でエマニュエル・トッドは、梅棹流に言うと第二地域（ユーラシア大陸）の中央部で典型的な家族形態は「共同体家族」である。そこでは強い家長権の下で、家産を平等に全員が共有する。だから中国やロシアも含めて、共同体家族が広がる地域は冷戦下の共産圏と一致するというのですが、ここはやはり語弊がある。

中国経済がご専門の梶谷懐《かい》さんもおっしゃっていますが、トッドにはネットワークとしての中国の巨大親族（宗族）と、文字どおり大きな家屋に何世帯も同居する大家族制とを混同して「共同体家族」と呼んでいる節がある。もちろん伝統中国でも、円楼《えんろう》と呼ばれる城塞のような集合住宅に一族で住むあり方は見られましたが、それはマイノリティである客家《はっか》に固有な形態です。主流派の漢民族はそうではない。

ネットワーク状の親族の問題点は、家屋の制約すらないから、人数にキリがないことです。一族の支援で権力の座に就くまではいいけど、そこから後は「恩返し」として膨大な数の親戚全員を養わないといけない。

だから、日本では自民党の議員が年に１００万円単位の裏金を作るだけで大騒ぎですが、ユーラシア諸国の汚職だと「億、兆が当たり前」みたいになってしまう。そこが近代化の障害になるという点では、梅棹の方がより正確に見抜いていた面があります。

## ❖日本の知識人は「儒教社会」が大好き？

**與那覇：**『文明の生態史観』は表題に関連する既発表の論考を集めた書籍ですが、僕は「生態史観からみた日本」の章が、いまいちばん重要ではと感じました。これは『中央公論』の論文から約半年後に、思想の科学研究会で行った講演ですね。つまり会の側が「いま話題の著者」として、梅棹をゲストに招いた。

思想の科学は丸山眞男らが発足させ、哲学者の鶴見俊輔が中心になって運営していた団体で、ガチンコのマルクス主義ではないにせよ「左翼にシンパシーを持つリベラル派」の集まりでした。それが反共の梅棹さんを呼んだのも、梅棹が応えたのも論壇の古きよき時代を思わせますが、会場で適度に毒を吐いているのがなかなかいい。

特に印象的なのは、182ページに「永遠のフラストレーションという現代知識人の悲劇」という……。

**呉座：**これはほんとうの揶揄《やゆ》というか嫌味ですね（笑）。文脈を説明すると、梅棹いわく、江戸時代には武士が官僚、すなわち為政者となった。その上で彼らは儒教を学び、つまり学者にもなり、教えの内容を政治的にも実践した。しかし近代化を経た後の日本の知識人は、学者と為政者とはもう別物になった時代を生きているのに、意識が武士のままでいるので、「なぜ俺たちの主張が政治的に実現しないんだ」と憤ってしまうと。左翼知識人への痛烈な皮肉です。

ただ、いまの歴史学からすると問題はあります。江戸時代を「儒教社会」として捉える見方は、梅棹の頃は通説でしたが、今日では否定されている。徳川幕府は思想やイデオロギーに関係なく武力で政権をとったのであり、家康のブレーンだった林羅山《らざん》も、同時代には儒学者というより「軍学者」として捉えられていた（前田勉『近世日本の儒学と兵学』ぺりかん社）。兵法に詳しいおじさんが、軍閥のボスをサポートしていた感じですね。劉備と諸葛亮の関係みたいなものです。

だから一部の武士が儒教を勉強したと言っても、あくまで「教養」としてであり、ほとんど趣味なんです。新井白石のような「儒学者」が為政者の地位に就いたのは例外で、むしろ江戸時代の儒者はみな、科挙があり学問の力で出世できる中国に憧れ、武士が政治を行う日本を野蛮な国だと見下していた。ここは「欧米ではこうなっているのに、日本は遅れている」と言いたがる今日の日本の文化人にも通じますね（笑）。

**與那覇**：江戸時代の理解としては正確さを欠きましたが、梅棹がいちばん言いたいのもそこですよね。つまり学問的な知識人が政治的にも為政者であるのは「第二地域の特徴だ」、だから日本でそれを羨望《せんぼう》してもしかたないですよと。

## ❖ ユーラシア社会のコアは「政教一致」

**與那覇**：さらに示唆的なのは、ロシア（当時はソ連）・中国・インド・中東の国々には、市民が議論をする自由がないと。もちろん言論統制のためだけど、もう一歩深掘りすると、第二地域では知識や学問に長じた人がそのまま為政者になる。すると、行われている政治は当然に「正しい」ものとして観念されるので、「絶えずチェックし、言論で批判しなくては」とする問題意識がそもそも生まれない。そうした構造を指摘しています。

**呉座**：ロシアや中国で言論の自由がなくなる一方のいま、先駆的な指摘ですよね。158ページには、ロシア帝国のツァーリはロシア正教の首長を、オスマン帝国（いわゆる「オスマン・トルコ」）のスルタンはカリフを兼ねていた、それが第二地域の権力の一元性の根源だとも記されている。また、伝統中国の皇帝は儒教的な徳の体現者とされ、だから科挙では、儒学の習得度に基づいて官僚が選抜されました。

もちろん第一地域のヨーロッパでも、中世のローマ教皇は宗教上の権威のみならず政治的な影響力を保持しましたが、封建制論の観点でいうと、その教権は世俗の為政者である各地の王権とは一体化していなかった。むしろしばしば対立したし、その下に無数の封建諸侯がいて、分権的な体制にならざるを得なかったわけです。

**與那覇**：われわれが「政教分離」と呼ぶとき、イメージする社会はそうした第一地域の歴史の遺産なんですよね。逆に第二地域では「政教一致」の方が原則で、むしろなぜ分離するのかが理解できないという感覚があるのかもしれない。

そうした第二地域の極限を示すのはイランでしょう。１９７９年にイラン革命が起きると、主導した宗教者ホメイニーがそのまま国の統治者になり、イスラム法学者が政治家を「指導」する独自の体制を作った。イラン自体はシーア派の国ですが、スンナ派も含めてイスラム原理主義は、地上の国家はそうあるのが本来の姿だと考える（第3章で詳述）。その点では、第二地域のエッセンスを濃縮した思想とも呼べそうです。

**呉座**：皮肉なのは欧米や日本の近代知識人にとっても、結局は「哲人政治」が理想なんですよね。それは「ギリシア文明のプラトンがルーツです」と説かれるように、ヨーロッパの発想だと思われてきた。しかし梅棹はユーラシアの第二地域でこそ、哲人政治は理想に留まらず「現実化」されてきたと考えたわけです。もちろんその実態は、第一地域の知識人が夢見る理想とはほど遠いのですが（笑）。

與那覇さんも『中国化する日本』で指摘しましたが、日本の「近代天皇制」もこの点では微妙なんですよね。教育勅語の内容は儒教道徳だから、日本の天皇が中国の皇帝のような性格を持ち、「政治と学問はこれから一体です。正しい道徳を学んで身につけましょう」という形で国民の統合を図った面がある。

だとすると、第一地域の日本が「脱亜」した時代にこそ、その内実はむしろ第二地域に似ていったという逆説が生まれている。日本の近代化の過程は「西洋化（第一地域化）」と「中国化（第二地域化）」が同時に進む、ねじれた構造になっていたんですね。

## ❖冷戦後に変貌したイスラムとインド

**呉座**：地政学的な観点で今日、最も注目されるのはイスラム世界の問題です。オスマン帝国が第一次世界大戦で崩壊して以来、中東は、中国やロシアといった第二地域の他の地域と異なり諸国家が分立して、統一性のある権力に覆われることはありませんでした。

ところが２０１０年代のイスラム国の出現が典型ですが、イスラム原理主義の下で「全イスラム世界の統合」をめざす動きが高まっている。しかもムスリム（イスラム教徒）は世界中にいるから、通常の民族主義と違って、そうした運動はどこまでも広がりうる。イスラム国の工作員がヨーロッパにいたりするわけで、領域的な限界がない。

**與那覇**：梅棹も、冷戦初期のアラブ地域の動向に触れています。235ページに出てくる「アラブ連合共和国」とは、エジプトとシリアが１９５８～61年に一時的に「合邦」した際の国名。あまり内実はなかったようですが、中東にも統一された広域権力を求める動きは、当時からゼロではなかった。

冷戦下ではアメリカがイスラエルを支援する分、中東のアラブ諸国はソ連に寄っていったので、梅棹さんとしてはそうした統一への志向は「共産主義が吸い上げるだろう」と。共産主義に基づく連邦を作れれば、イスラムの伝統はもう要らないよねと。やがてそういう地点に落ち着くと見ていたようですが、これは予想が外れて、むしろ共産主義は冷戦の終焉とともに滅び、イスラムの方が残りました。

**呉座**：確かにそこは外したわけですが、共産主義にせよイスラム原理主義にせよ、中東は第一地域的な「自由民主主義のコースには乗らない」という点では、梅棹は言い当てていたと思います。２０１０年代の冒頭にアラブの春と呼ばれた時期には、多くの人が「ついに中東も民主化する」と期待したけど、結局そうはならなかったわけですから。

もうひとつ、中国・ロシア・イスラムと並んで第二地域の四区分をなすインドも、最近はかなり権威主義に近づいていますよね。現在のモディ政権は、長らく禁じ手だったヒンドゥー・ナショナリズムを公然化させ、世俗主義を捨てて宗教心を利用した国家統合を狙っている。「政教一致」という、梅棹さんが第二地域のコアにあると見た特徴が、ここでも浮上してきている。

歴史学界が典型ですが、たとえば政治学者のサミュエル・ハンチントンが書いた『文明の衝突』（集英社文庫、原著１９９６年）って、日本では嫌われてきたわけです。あんなものは与太話で、宗教紛争や民族紛争を煽ることにつながる危険な議論だと。そこには冷戦終焉後の、自ずと世界は自由民主主義に収斂《しゅうれん》してゆくとする期待があったのですが、しかしいまリアリティを持つのは、梅棹やハンチントンの方ですよね。

**與那覇**：梅棹の四区分でいうと、冷戦下でインドは基本、中立非同盟の路線でしょう。イスラムは各国に分裂し、イスラエルと四度の中東戦争を戦って余裕がない。さらに１９７０年の前後に中ソ対立が極まって、ロシアと中国が仲間割れし、アメリカは「中国の取り込み」に動いた（ニクソン訪中が72年）。つまり第二地域の４つのアクターが、結束して「第一地域にＮＯを突きつける」事態は起きませんでした。

現在の問題は、その構図が終わってしまったことですね。中国は「第一地域のような民主化はせず、むしろ『中国モデル』を世界に輸出する」と明確にし、ロシアはその支援を当てにウクライナ戦争を起こして、インドも事実上は黙認している。２００１年の９・11テロの頃までは、イスラム原理主義だけは「米露共同で取り締まろう」とする空気もありましたが、それすらも立ち消え、イランはロシアを積極支援している。
流行の用語でいえば「グローバル・サウス」連合として、初めて第二地域が統一行動をとる可能性すら、ゼロとは言えなくなってきました。

**呉座**：いま地政学を名乗る識者が言うのも、要は第二地域の全体が結束することを「いかに避けるか」、それが第一地域にとっての国益だという話です。だから安倍晋三首相の時代にQUADを作って、インドを日米側に引き込み、中露との分断を試みたのだと。
ただ、そうした危機の手当てでほんとうにうまくいくのか。そうした政略は「歴史的に見て永続可能なのか」という問いが、梅棹を読むとどうしても湧《わ》いてくる。梅棹さんの文明論の楽天性は、冷戦下では第二地域の四ブロックがいがみ合っていたがゆえの産物で、今後は梅棹にも見えていなかった事態が起きる気がします。

## ❖ 21世紀の欧米は「第二地域化」に向かう？

**與那覇**：経済学者の池田信夫さんとも議論しましたが（『長い江戸時代のおわり』ビジネス

社）、もうひとつ梅棹が想定していなかったのは、第一地域の内部に「第二地域的なものが広がってゆく」事態でしょう。

たとえば先ほど、明治天皇が出した教育勅語だって、見ようによっては日本の「第二地域化」だったという話をしました。そうした目で見たとき、特に２０１０年代からだと思いますが、道徳的に正しい主張が「そのまま政策になるべき」といった風潮は先進国ほど強まっている。エコロジーや脱炭素化が典型ですが、他にもいろいろと……。

**呉座**：確かに。歴史学の世界でもポリティカル・コレクトネスを掲げる学者たちが、史実かどうか以上に「政治的に正しい歴史像か」を優先するようになっています。極端になると、「人類の半分は女性なのだから、歴史叙述の分量も半分を女性史に割くべきだ」と主張したりする。しかし「いまはこれが正しい」という価値観にあてはめて過去を再解釈し、その基準を満たすことが歴史を描く目的だと言うのなら、究極的には歴史学自体が要らなくなってしまいます。

この点でいうと梅棹の生態史観は、学者のあいだでは共産主義が「めざすべき理想の未来だ」と考えられていた時期に、あれは第二地域の伝統を引き継ぐ「帝国であり独裁だ」

と指摘したわけだから、政治的に正しくなかった（苦笑）。この点で重要なのは145ページに、近代国家の統治を工場の経営になぞらえた上で、一党制をとる社会主義国の指導部を「緊急技師団」だと喩《たと》えていますよね。

封建制があった第一地域では、そこそこの資本力を持つ富農層がブルジョワジー（資本家）に育ち、彼らが民間主導で資本主義を回してゆく。しかし第二地域ではそうした条件がないので、国家権力を握った前衛党のエリートが上からマニュアルを制定し、そのとおりに指揮して労働者を働かせるしかないと。

今日、プーチンや習近平の経済運営を「国家資本主義」と呼ぶのは一般的ですが、社会主義は資本主義とは「別物だ」とされていた冷戦期から、同様の指摘をしていたのは梅棹の慧眼《けいがん》でしょう。実際、シンガポールは競争を最優先する究極の資本主義のようでいて、政治的には独裁色が強く「明るい北朝鮮」とさえ言われています。

**與那覇**：政治的に正しくない歴史観だからこそ、現に「正しくない」ことに満ちた目の前の世界を的確に分析できるということは、往々にしてありそうですよね（苦笑）。

ご指摘の点は、一時期流行った「デジタル・レーニン主義」の議論とも重なりますね。

第二地域の本質はテクノクラシー（技術的な専門家による独裁）にあり、少数の支配層が一方的にプラットフォームを整備して、「お前ら庶民はこの上でプレイしろ」と命令する。科挙官僚がITエンジニアに入れ替わったわけですが、しかし第一地域でもGAFAに集うグローバル・エリートが勝手に作った基準に、ユーザーの側が合わせないと日常生活が送れなくなってきた。ここでも「第二地域化」が進んでいます。

## ❖日本のモデルは意外に「東南アジア」

**與那覇**：そうした日本人としては生きづらい世界をどうするかですが、梅棹の記述でヒントになると思うのは東南アジア論です。『文明の生態史観』は、最初は西南アジアの探訪に基づく考察から始まり、後半はむしろ東南アジアでの見聞に基づいて、自説を修正する過程が語られる。第一地域と第二地域を、梅棹は当初はまったく峻別《しゅんべつ》させて把握したけれども、世界には両者の「中間地帯」にあたる地域もあるのではないかと。それがインドの外周をなす東南アジアであり、ロシアに接する東欧だと。

東南アジアは歴史的にインドからも、中国からも影響を受けるわけですが、両者の特徴を取捨選択して自らの文明を作るので、インドや中国と「完全に同じ」にはならない。これは中華文明の影響力に晒《さら》されながら、しかし独自の日本文明が育っていったあり方と似ているのではと、そうしたシンパシーを持って梅棹さんは東南アジアを歩いている。

日本は「第一地域なんです」と断定するよりも、いわば「第一・五地域」くらいの折《せっ》衷《ちゅう》形態として捉える方が、ほんとうは妥当なんじゃないか。そんなセンスも感じたんですが、いかがですか。

**呉座**：そうですね。実際、梅棹さん自身は生態史観について、世界史の見取り図を示したものであり「日本論を書いたわけではない」と何度も断っている。ところが読む方は、どうしても「アジアで日本だけが近代化できたのはなぜか」という議論として受けとり、日本特殊論に還元しちゃうんですよね。そうすると梅棹の真意を離れて、生態史観は「日本だけがアジアでは断トツにすごい」と自画自賛する悪しきナショナリズムだ、みたいな批判も出てきてしまう。

ですが梅棹の議論が方向性として逆を向いていたことは、一例を挙げれば、288ページの伊勢神宮の論じ方からよくわかります。伊勢神宮の20年に一度ずつ建て替える慣行（式年遷宮《せんぐう》）はよく知られていて、多くの「日本文明論」はそこに日本に固有なものを見ようとする。仏教が伝来する以前の、純粋な神祇《じんぎ》信仰や基層文化の名残りだ、みたいな。しかし梅棹さんはそういう通俗的な日本文化論と一線を画し、むしろ式年遷宮を東南アジアの仏教寺院と並べてしまう。

**與那覇**：ええ。うまい対比だなと感心しましたが、梅棹いわく、日本人は寺院が古びて苔《こけ》むしていた方が「ありがたみが増す」と考えるけど、これは宗教施設を美術品のように眺める、信仰心が薄い人の発想だと。東南アジアでは宗教がまだ生きているから、古くなった寺院は塗装を塗り替えてピカピカに新しくする。伊勢神宮の建て替えは単に、日本にもかつては東南アジアと同様の、世俗的な審美趣味とは異なるガチンコな信仰が存在したことの名残りではないのかと。

## ❖ 文明論の「弊害」は乗り越えられる

**與那覇**：「日本の基層文化」を掘っていくと、見つかるのは戦前に国体論が唱えた唯一無

図2　父系的／双系的なアジアと諸文明

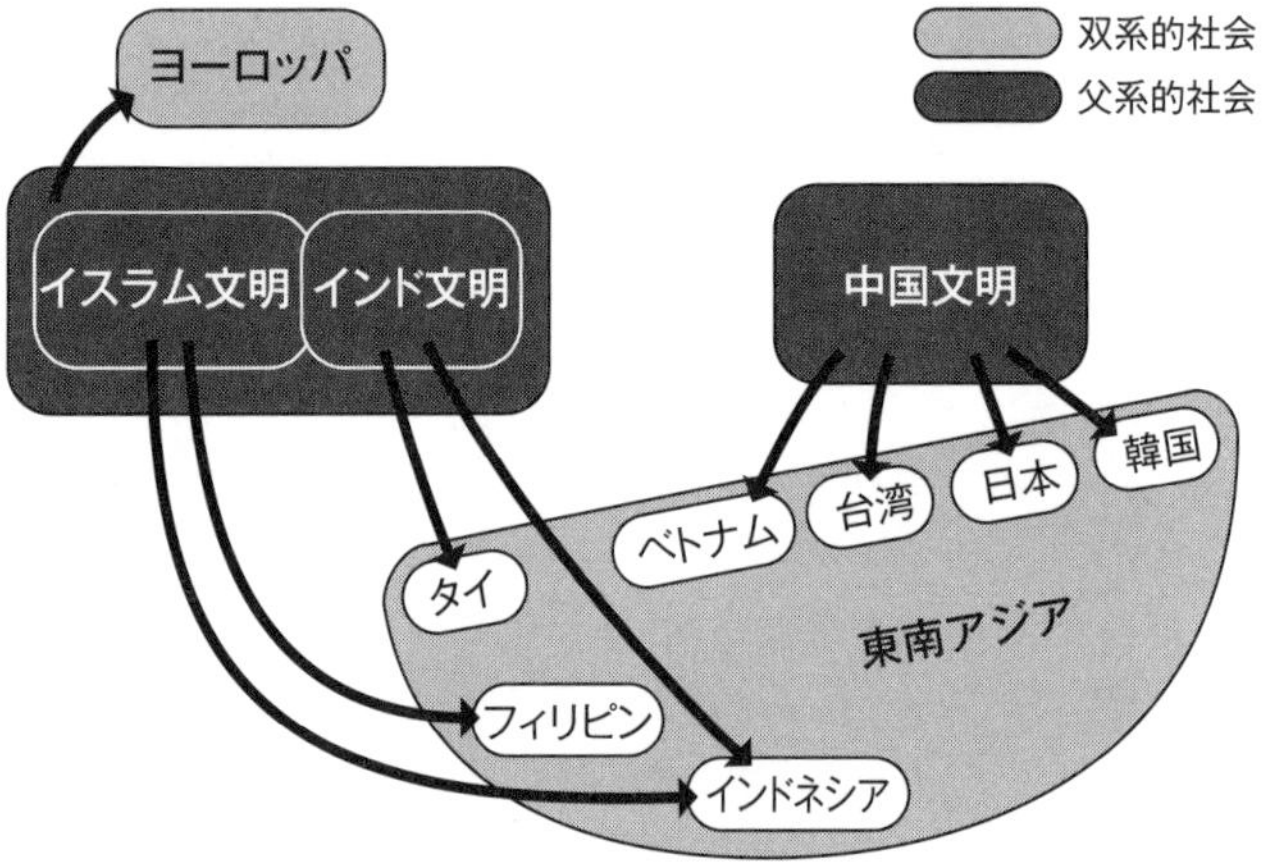


出所：落合恵美子、森本一彦、平井晶子編『リーディングス アジアの家族と親密圏 第3巻 セクシュアリティとジェンダー』有斐閣

二の日本らしさではなく、意外に他の地域と共通の性格なのかもしれない。梅棹の直系かどうかは措《お》いて、そうした発想を受け継ぐ議論としては、家族社会学の落合恵美子さんが近年提出されている「イエ制度論」が興味深い（図2）。

　落合さんいわく、日本はしばしば儒教文化圏のように言われる。教育勅語などの形で、儒教的な規範こそが「わが国の家族道徳だ」として説かれた時代もある。でも本当はそうではなく、儒教に基づく父系的な親族構造を持つのは中国を中心とする「東北アジア」であり、日本の家族はむしろ東南アジアと共通する双系的な性格を持つと。

　ここでも鍵になるのは相続のあり方です。

ある夫婦に女子しか生まれなかった場合、家産を誰が相続するか。儒教の場合は父系血縁が絶対なので、父親の兄弟のうち男子が複数ある家から、一人もらってきて（つまり甥《おい》っ子を）養子にし、その男子に継がせる。でも日本人は、普通はそうしませんよね。むしろ娘に財産を遺《のこ》して、その結婚相手（お婿《むこ》さん）と一緒に継いでくれればそれでいいと考える。これは東南アジア型だと。

儒教やイスラム法の規範が厳格に守られる地域は、女性の地位がしばしば絶望的に低くなり、この点はインドも同様です。しかし、梅棹風に言うと第二地域（中国・インド・イスラム）から影響を受けつつも、完全には飲み込まれず適度に距離をとってきた日本や東南アジアでは、伝統的にそこまで「男女の別」がうるさくない。たとえばそうしたあたりに、生態史観の新たな活かし方が見つかるんじゃないかな。

**呉座**：同感です。梅棹の著書が冷戦下では「日本だけが近代化できた理由」の説明として読まれたとしても、これからはそうではない方向に生態史観をアップデートないしリバイバルしていけばいいのであって、文明論自体を毛嫌いする必要はない。

むしろ、広い視野で文明論をまじめに考える人ほど「日本だけがこうだ」ではなくて、あらゆる国や文化を相対化してゆく視点が生まれるんじゃないかと思うんですよね。

**與那覇：**そのためにも優れた文明論は常に複合的で、さまざまな切り口を持っていたことを確認する必要がありますね。たとえば家族制度からアプローチすると、日本文明と東南アジア文明は重なって見えてくる。でも、植生や農耕という別の切り口から見たら、逆に正反対の文明ということになるかもしれない。

梅棹とひとつ違いで、北方の研究所ではなく東南アジアの前線に飛ばされた山本七平が、自身の日本研究のルーツとして書き残した挿話は印象的です（『日本人の人生観』講談社学術文庫）。日本では、整った水田にいっせいに稲穂が実る景色が当たり前だけど、フィリピンでは同じ稲作でもまったく違う。浮き稲農法だから、湿地に適当に撒《ま》くだけでも十分育つし、気候が温暖なために年に3回の適作期があり、どれを選ぶかも本人の自由。だからある農家が稲を植えている隣《となり》で、隣の農家は収穫していたりする。

つまり家族形態が東南アジア型でも、気候の面では日本は東北アジアだから、いわば社会に猛烈な負荷をかける形で稲作に適応してきた。その表れが、いわゆる村八《はち》分《ぶ》的な同調圧力（一度に田植えし、収穫するので、周囲の協力が得られないと暮らせない）だというのが、山本の日本文明論の出発点でした。

そうした「複眼的」な視野でかつての名著を紐解《ひも》いていくなら、粗雑な決めつけに陥りがちな悪い意味での「文明論の弊害」も、自ずと解消されてゆくでしょう。

# 第2章

## 宮崎市定『東洋的近世』

### ——GAFAの資本主義は世界を「中国化」する

# 宮崎市定（みやざき・いちさだ）　１９０１〜95年

歴史学者、長野県飯山市出身。京都帝国大学で内藤湖南《こなん》らに師事した後、同大学文学部教授となり、戦後も65年に定年を迎えるまで勤める。専門は中国の前近代史だが、西アジアやヨーロッパとの比較を視野に入れた世界史叙述でも有名。ロングセラー『科挙　中国の試験地獄』（１９６３年）など、平易に書かれた研究成果は中国史の読者層を広く開拓した。

使用テキスト＝『東洋における素朴主義の民族と文明主義の社会』平凡社東洋文庫、１９８９年

タイトルとなっているのは、１９４０年に刊行された著者の処女作。併録されている『東洋的近世』は50年に刊行された後、99年に中公文庫に入っている（現在は品切）。

## ❖日本生まれの「グローバル・ヒストリー」

**與那覇**：次に取り上げるのは、宮崎市定（東洋史学）が1950年に発表した『東洋的近世』です。宮崎は中国史を専門としつつ世界史全体を独自の視点で描き続けた歴史学者で、遊牧民の役割を重視した点は梅棹忠夫とも重なる。ちなみに、大学もどちらも京都大学ですね。

『東洋的近世』は宮崎の主著の一つで、一時は単体で中公文庫にも入っていたほか、没後に刊行されたアンソロジーに再録されたこともありました。しかし今回はあえて、平凡社東洋文庫の『東洋における素朴主義の民族と文明主義の社会』に併録された版を用います。ページ数も同書のものになります。

なぜかというと、『東洋における素朴主義の民族と文明主義の社会』（以下、『素朴主義と文明主義』と略記）は1940年に出た宮崎の初の著書ですが、『東洋的近世』は10年後に発表されたその「続編」という性格があるからです。なので、両者をセットで扱うのがベストな読み方ではないかと。

**呉座**：弟子にあたる礪波護《となみまもる》氏が解説で指摘するように、『素朴主義と文明主義』は遊牧民との交渉を軸とする中国通史ではあるものの、宋朝以降が駆け足になっている。なので、北宋（960〜1127年）から中国は「近世」に入ったとする京大系の学説（後述）を基に、そこで語り落とした部分を詳説したのが『東洋的近世』なんですよね。

平凡社東洋文庫は一次史料の再刊も含めて、日本史・東洋史の専門書をハンディに読めるシリーズです。大学図書館や大きめの公共図書館には必ず揃っているので、手に取るのも難しくありません。

**與那覇**：若い方にはなじみの薄い名前かもしれませんが、宮崎市定はかつて、専門以外の読者が「一歩踏み込んで」中国史に入門する際の定番でした。まずは『三国志』ものの小説から興味を持って、次に世界史のシリーズ本のうち中国を扱う巻に進み、もっと深く知りたくなったら宮崎の著書を紐解いた。

懐かしい思い出があって、大学院生の時、国際政治学の田中明彦先生（1954年生。主著に『新しい「中世」』など）の授業に出た際、グローバル・ヒストリーの話題が出ました。田中さんから「日本人で、グローバル・ヒストリーを書いた学者って誰かな」と質問されたので、たとえば川勝《かわかつ》平太さん（後に静岡県知事）ですかと答えたら、「川勝さんもそうだけど、日本が生んだグローバル・ヒストリーといえば宮崎市定だね」と。社会科学の分野でも歴史を踏まえて研究する人は、宮崎の世界史論を通過していたんですね。

**呉座**：社会科学の観点で世界史の全体を描く議論としては、２０１９年に亡くなったウォーラーステインの「世界システム論」が定番でした。「世界システム論」の画期性は西洋以外の諸地域を、システム化された「世界」の一部として位置づけた点です。しかし彼の議論は、地球上の全地域をひとつに覆うシステムは「近代ヨーロッパが作った資本主義が史上初めてだ」と主張する点では、西洋中心主義的な歴史観に留まっていました。

その点を批判して生まれたのが、前章で触れたグローバル・ヒストリーの潮流です。しかし欧米の研究を借りずとも、日本人が自前の思考で描き出した世界史像には、最初から西洋中心主義を「相対化する」要素が含まれていた。宮崎はまさにその代表です。

## ❖ 遊牧民は破壊者でなく「交易者」

**呉座**：実際に『東洋的近世』の書き出しは、「日本橋下の水はテムズ河に通じ、江戸っ子の吸う空気は、パリジェンヌの吐き出した息である」。世界史は東西の別を超えて、一体のものとして理解しなければわからない、という趣旨の名文ですが、これは今でも十分通用する視角です。

近日の著書では、宮崎以来の京大東洋史の系譜を引く岡本隆司氏が『世界史序説』（ちくま新書）で、遊牧民の視点から世界史を描く宮崎の問題意識をアップデートしていますね。シルクロードは単に「東西の間をつなぐ道」ではない、つまりヨーロッパと東アジアを連結させただけではなく、それ自体が「中央ユーラシア世界」という歴史の舞台を形作っていたのだと。その観点から明治以来の「東西交渉史」の成果を組み替えた、新たな世界史を構想する必要を強調しています。

**與那覇**：一方で僕は、それに続く宮崎の2行目がより重要かなと。つまり、「ベルリン問題は根底が朝鮮の三十八度線につらなる」。冷戦の開始を象徴するベルリン封鎖は1948～49年で、まさに『東洋的近世』の刊行直前まで続いた事件でした。

欧州に東西ドイツの分断があり、それとリンクして東アジアに南北朝鮮の分断がある。当時の読者にとって、それは「冷戦構造の産物」として自明の前提でしたが、宮崎はむしろ、いやいや遥《はる》か昔から西洋史と東洋史（日本史を含む）は結びついて動いてきたんですよと。いま眼前の国際情勢を見ているような目で、前近代の歴史も捉え返してくださいと促《うなが》す書き出しだったわけです。

**呉座**：いま風に言うと「グローバルな視点」はニュースだけでなく、歴史ドラマを見る時も持ってください。世界は昔からグローバル化していたのだから、というわけですね。

**與那覇**：冷戦構造の下でベルリンと朝鮮半島が結びつくのは、もちろん両者のあいだにソ連が存在するからですが、では前近代の世界でテムズ河と日本橋、パリジェンヌと江戸っ子をつないできたものは何か。ウォーラーステインなら「大航海時代以降の、ヨーロッパの交易船だ」となるところですが、そうではなく「ユーラシア大陸の遊牧民」に注目するのが宮崎史観のコアですよね。

**呉座**：おっしゃるとおりで、前章の梅棹忠夫と共通する部分です。一方で梅棹と宮崎には違いも大きく、両者の異同を踏まえることで、より精緻化した文明史を作ってゆける気がします。

たとえば梅棹はユーラシア大陸中心部のステップ（草原）地帯を「悪魔の巣」と呼び、そこから定期的に撃《う》って出て暴れまわる遊牧民を、文明の破壊者としてネガティブに捉える。第二地域ではいかに広大な帝国を築いても、最後は遊牧民に侵略されてリセットされ、一から出直しになってしまう。だから近代化できないとするのが生態史観でした。

これに対して宮崎は、むしろ遊牧民が「交易の担い手」でもあったことを重視し、彼らを文明の伝搬《でんぱん》者として認識する。確かに中国の諸王朝は遊牧民に滅ぼされる例が多かったけれど、それは中国では「歴史が発展しない」ことを意味しない。むしろ北宋の頃から「近世」に入るほど、彼らなりの歴史を進展させており、それはヨーロッパのルネサンスにも先駆けて「進んでいた」のだとする理解になるわけですね。

## ❖ユーラシアにも「封建制」は実はある

**與那覇**：なので、この二人の違いをクリアに示すのが「封建制」の理解です。梅棹の立場は単純で、封建制は遊牧民の侵攻を免れた「第一地域でしか育たない」、だから日本と欧州にしかない。歴史学者でも今谷《いまたに》明さん（日本中世史）は、中東でもエジプトは日欧に近く、かつ封建制の存在はモンゴル帝国を撃退した結果というよりも「原因」だと説く形で、梅棹説をより発展させていますね（『封建制の文明史観』ＰＨＰ新書）。

しかし宮崎の場合は、中国でも遊牧民対策として「封建制」を採り入れることはある、だがそれを放棄することで「近世」へ進むという理解を示しています。いわばジグザグしながら発展してゆく形の歴史を考えていて、単純な進歩史観でもない一方、梅棹式の「世界地図の塗り分け」で示される生態史観でもない。

『東洋的近世』だと221ページから説明されますが、三国志の英雄として知られる魏《ぎ》の曹操が屯田《とんでん》制を導入する。これは内戦状態では徴税が困難になるため、一種の土地国有化の上で軍団ごとに駐屯させ、税さえ収めれば食わせてやるから「ちゃんと農耕しろ」と命じる仕組みですね。曹操軍の強さは、北方の遊牧民を騎馬隊に組み込むところから来ていたので、彼らに対する定住促進策も兼ねていた。

こうした土地制度が唐の均田制まで続きますが、しかし安禄山《あんろくざん》の乱で唐の統治が崩壊すると維持できなくなる。宮崎さんいわく、そこでパラダイム・シフトが起きて、もう「住民を土地に縛《しば》りつけて、場所ごとに税金を取るのはやめよう」と。むしろ土地ではなく「取引」に課税し、商業の方をベースに王朝の財政を支えるんだと。こうした唐末からの変化を集大成する形で、宋朝から中国は近世に入ってゆく。

つまり宮崎の場合、封建制は遊牧民が「いなかったから」生まれるのではなく、むしろ遊牧民との交渉の中で成立する。かつそれは「軍事国家的に、領民を編成しなくては勝ち残れない」という時代状況の産物だから、情勢が変われば放棄されることもある。こうした封建制の把握を、源平合戦から応仁の乱までの日本中世史を「恒常的な内戦状態への適応」として描いてきた、呉座さんがどう見るかは興味があるのですが。

**呉座**：ありがとうございます。やはり歴史学者の端くれとしては、自然科学の気候区分をモデルに「封建制は第一地域の植生のようなもの」として説明する梅棹よりは、歴史の展開の中で見てゆく宮崎の方に共感します。
歴史学の用語としての（狭義の）封建制は、中世ヨーロッパにおける君主と騎士の関係を基に概念化されているので、「双務契約である」（＝片方が不満を持つなら破棄できる）という含意があります。それを意識しつつ、宮崎は『東洋的近世』の193ページ以下で、こう述べていますね。

かくして別に封建制を採用しないでも、封建的身分制を採用することにより、地方豪族はその財産を子孫に伝えるのみならず、併《あわ》せてその社会的地位を世襲することが出来たのである。豪族は裏面から見れば地方的土豪であり、表面から見れば官僚的貴族である。この点において殆《ほとん》どヨーロッパ中世の封建制度と変るところがない。

前後を読むと、古代の漢帝国は西洋史上のローマ帝国に比定でき、だからゲルマン民族の傭兵に依存して後者が滅んだように、漢もまた北方民族を交えた軍閥抗争に明け暮れる中でバラバラになる。その後、中国では隋唐《ずいとう》のような統一帝国も生まれますが、これもまたカール大帝と同じで、実は君主の民族的なルーツは遊牧民の側にある（隋の煬《よう》氏・唐の李氏はともに鮮卑《せんぴ》系）。

古代帝国の継承者と、遊牧民起源の侵入者との抗争が国家分裂の状況を生み、秩序を再建するために地方豪族を政治体制に組み込む（広義の）「封建制」が必要とされた点では、中国もヨーロッパも同様だとするのが宮崎の見方です。つまり中世までは、梅棹が言う「第一地域と第二地域」の違いは大きくなかった。両者のありようが決定的に別のものになる歴史の画期は、近世以降だということになりそうです。

**與那覇**：そうですよね。本人は否定しますが、宮崎の時代区分にはどこかヘーゲル的なところがあり、いわば、古代に一度は大帝国（漢／ローマ）という「テーゼ」が確立される。しかしそれは遊牧民の侵入という「アンチテーゼ」によって否定され、中世は封建制に基づく分権的な社会になる。ところがその否定をさらに否定する「ジンテーゼ」の登場により、近世（宋／ルネサンス）に新たな統合が達成されると。

## ❖日本はいまでも「科挙以前の中国」？

**與那覇**：宮崎の封建制理解は後に、梅棹とは逆の方向でラディカルになっていったようです。『東洋的近世』から四半世紀経った１９７７〜78年に、宮崎は大著『中国史』（現在は岩波文庫）を刊行しますが、すごいことが書いてある。封建制なるものは、日本・中国・欧州のすべてで「東夷《とうい》の後進地域から発生した」「古代の延長、ないしは変形」に過ぎないと。

確かに鮮卑や契丹《きったん》など、中国から見て北東から侵入した遊牧民は多く、ローマ帝国にとってのゲルマンもそう。日本の場合はもちろん、鎌倉武士ですね。収奪的な武力抗争しかできない野蛮な連中を飼いならすための、しかたない妥協案として封建制は生まれたもので、文明の発展とはそれを克服してゆく過程である。このとき「どう克服するか」に、各地域の個性が出る。そう考えるようになっていったのかなと。

普遍的な「世界史」を構想する宮崎の視野には、東洋史・西洋史だけでなく、日本史も当然入っていました。この点で興味深いのは『東洋的近世』でも237ページから、中国の方の南北朝時代について、貴族制度の解説があるでしょう。

**呉座**：読者のためにフォローすると、中国史でいう南北朝とは「隋による統一の手前」です。有名な『三国志』の描く後漢の末期以来の分裂状況は、魏の軍師・司馬懿《しばい》の子孫が興した晋による統一でいったん解消されますが、この司馬家の皇族どうしは仲が悪く、跡目争いですぐ内戦になってしまう（八王の乱）。そこに諸方面から遊牧民が侵入して争奪戦を繰り広げ（五胡《ごこ》十六国時代）、やがて華北と江南に王朝が分かれて対峙する情勢となったのが南北朝時代です。

西暦では439〜589年なので、日本史でいうと、いわゆる古墳時代。「倭《わ》の五王」が当時の中国（南朝）に朝貢した、といった記録が残る時代ですね。

**與那覇**：宮崎によれば、当時は隋が科挙を導入する前（本格化は宋）の世襲貴族の時代ですが、それは競争の不在を意味しない。つまり、貴族の家に生まれないかぎり宰相の職には就けないが、「どの貴族の家」が宰相を出すのかに関しては競争がある。家の世襲は必ずしも「地位の世襲」とイコールではなく、もし現職の宰相の息子が暗愚であれば、次の宰相は別の貴族の家が出す。

これが僕には、むしろ日本社会の特徴として指摘される「仕切られた競争」の原型に見えて驚きました。たとえば歌舞伎の世界でも、誰が看板になって権威ある名前を継ぐかは世襲ではなく、一門のあいだで芸の実力を競って決める。自民党の「派閥」も同様で、議員に当選するまでは実質世襲でも、派閥の会長に登れるかに関しては競争がある。安倍晋三さんが父親（安倍晋太郎。１９９１年没）の議席を継ぐのは93年でも、「安倍派」の会長になるのは２０２１年。その間ずっと権力闘争していたわけです。

そうした目で見ると、日本文明の個性と呼ばれるものは、実は日本は「科挙以前の中国文明」にまだ留まっていますよと。単にそれを示すだけなのかもしれません（苦笑）。

**呉座**：與那覇さんも昔『中国化する日本』で書いたように、「科挙を導入しなかった」ことが、日本史と中国史の最初の分かれ目だったことは間違いないですよね。つまり前近代を通じて、日本の権力闘争はおっしゃる「仕切られた競争」の形をとってゆく。統一のフォーマットで一律の試験を課す、自由参加の完全な実力競争にはならない。

## ❈意外に「競争」があった平安時代の貴族

**呉座**：ただし時代に応じて、微妙な変化も見られます。たとえば平安時代の藤原氏は、権力を独占して安泰だったと想像されがちですが、藤原道長でさえも同じ藤原家の中のライバルとは猛烈に闘争して、摂政《せっしょう》の座に就いています。

摂関政治期に摂政・関白の職が「父から子へ」と継承された例は、藤原兼家（道長の父）から道隆（道長の兄）へと、道長から頼通《よりみち》への2例しかありません。兄弟やいとこが権力闘争の結果、摂関の地位を手にするパターンが基本。「藤原北家で、かつ本流」でない人は摂関には就けないと、そこまで絞り込まれてはいましたが、やはり競争はあった。

**與那覇**：なるほど。鎌倉時代からは権力機構として京都の朝廷のほかに、幕府（武家政権）も出てきますよね。両者のあいだで異同はあるのでしょうか。

**呉座**：歴史の「進歩」という感覚には反しますが、朝廷に関しては一種の「逆行」が起きます。摂関政治期に摂政・関白になるには、天皇の「外戚」になることが原則なので、自分の娘を天皇の后《きさき》にして、かつ産ませた男子を次の天皇に就けないといけない。

そのためには「うちの娘は陛下のお気に入りで」という状態を作る必要があるので、ヘンな話ですがある意味「実力競争」の側面がありました（苦笑）。今年の大河ドラマ『光る君へ』の主人公である紫式部にせよ、一条天皇の后だった彰子（藤原道長の娘）の教育係にスカウトされた理由は、彼女が執筆する『源氏物語』で天皇の興味を惹《ひ》き、彰子のもとに足を運ばせるためだったと考えられています。

**與那覇**：当時の貴族階級では「妻方居住婚」が一般的で、夫は（正妻と同居しつつも）複数いる女性の家に通い、生まれた子供は母方の親戚（この場合は藤原道長）が養育する家族制度でしたからね。ウチの娘の家（後宮の殿舎）にお泊りくだされば、話題の才女が書いたオリジナルの物語もお読みになれますよ、と。

**呉座**：ええ。ところが鎌倉時代以降になると、もう外戚であることは摂政・関白に就く条件ではなくなり、天皇家との婚姻関係とは無縁な形で「摂関家の人間が順番に就きます」という形になる。公家社会の家格秩序が確立し、家格の低い者が「実力」で成り上がることはなくなります。

**與那覇**：政治の半分くらいは「鎌倉殿」が東で勝手にやるんだから（第4章を参照）、京都の摂政・関白が持つ権限は軽くなり、宮廷政治における実力を問う必要がなくなったということですか。だったらもう、形式的な順送りでいいやと。

**呉座**：そうとも言えます。その鎌倉殿の方では、実権を握る執権《しっけん》の職は北条氏のうち「得宗家《とくそうけ》」と呼ばれる本家・嫡流から選ばれて、北条氏庶流の執権はワンポイント・リリーフでしか出てこない。北条氏ですらない者は、絶対に執権にはなれない体制になります。ただしそれでも、北条氏の中で執権の座をめぐって争うことはある。ちょうど摂関政治期の藤原氏の内部での闘争が、東にスライドしてきた格好になるんですね。

## ❖ 身分制と「暴力の応酬」はトレードオフ

**呉座**：視野を昔の方へ広げると、奈良時代と平安時代の違いは「貴族どうしで殺しあうかどうか」です。奈良時代だと長屋王の変や恵美押勝《えみのおしかつ》の乱が有名ですが、政争で負けたら最悪、一族が皆殺しにされる。ところが平安時代の半ばに藤原氏の覇権が確立すると、そうした血なまぐさい争いは起きなくなります。権力闘争はあるけど政敵を左遷するに留まる。平安貴族は遊び惚《ほう》けていたイメージを持たれがちですが、奈良時代よりも安定し経済的にも豊かな社会を実現していたことが、近年の歴史学では重視されるようになりました。

なぜ平安時代に、「政敵は殺し尽くす」といった徹底した殺戮が消えたのか。一般に人気のある説明は、敗者が怨霊《おんりょう》となって祟ることを恐れたとする「御霊《ごりょう》信仰論」で、これはこれで一理ある（第5章で詳述）。ただ身分や家格の秩序自体に、実力競争を仕切られた範囲に留めることで、暴力の応酬を抑制する機能があったことも事実なんですよ。

現代人の感覚では能力に基づく競争は「良いこと」ですが、暴力が禁止されない状況での実力主義は「殺しあい」になります。だから平安時代は実力競争のエネルギーを、一族の内側での「娘を天皇に愛させるレース」に閉じ込めて凍結し、政争を穏和なものとした。保元の乱（1156年）から始まる中世とは、新興勢力である武士の政局への介入によって、封じ込めたはずの「暴力での実力競争」が解凍される過程なんですね。

**與那覇**：最大級の「殺しあいの解凍」を起こしたのが、呉座さんの描いた応仁の乱（1467年開戦）で、そこから戦国時代を経て日本は近世に移行するわけですよね。

宮崎の『東洋的近世』が面白いのは、その先にも日中で類似の力学を描いているとも読める点です。239ページを見ると、唐の統治が安定し首都・長安が栄華を極めると、豪族として地方に割拠していた貴族層が都《みやこ》に出てくるようになり、王朝に逆らう実力を喪失して官僚化した。もっとも軍人は地方に残っていたので、安禄山の乱以降は「軍閥割拠」の形勢になりますが（五代十国時代）、それを再統一した宋朝から近世が始まる。

日本でも鎌倉武士は自分の地元に館《やかた》を構えて住んでいたのが、戦国時代から城下町に集住するようになりますね。結果として大名の集権性が強まり、武士は領地を持つとはいっても、現地で耕作するのではなく大名から給料をもらう「公務員化／サラリーマン化」が進みます。その観点で見れば、ここでようやく日本は唐に追いつく。

**呉座**：面白い指摘ですね。日本史学の古代史研究には「日唐律令《りつりょう》比較」というジャンルがあり、唐の律令を奈良・平安時代の日本はどうアレンジしたかが注目されてきました。しかし採り入れた制度の外形ではなく、その社会が「総体としていかなる状態にあったか」に目を向けると、意外に日本が「唐のレベルに達した」のは戦国時代かもしれない、といった見方ができる。

実際に宮崎も『中国史』ではまったく同じ観点から、歴史学における「律令国家」の概念を批判しています。日本が隋唐をまねて律令を採り入れた奈良・平安時代は、社会の内実としては「古代」にあたる。しかし中国が律令を用いた時代は漢〜明と広く、隋唐は封建制的な土地制度からして「中世」と見るべきである。「ともに律令制度だから」として同時代の日中を並列視すると、かえって歴史の理解を誤るというわけです。

## ❖公金を吸い上げるNPOは近世中国の「胥吏《しょり》」

**呉座**：中国では、地方豪族を都に集住させて従わせる唐の体制が崩壊した後、次の統一王朝である宋の下で「近世」の新しい秩序ができる。これは京大で宮崎の先生だった、内藤湖南が最初に打ち出した視点ですね（宋代以降近世説）。

具体的には、自前の武力を持ち地方に割拠した豪族＝貴族はみな没落し、政治の担い手は科挙を通じて、つまり試験で選ばれた文官の官僚が務めることになる。身分制を放棄してメリトクラシー（能力主義）を導入した点では、私たちが「近代社会」と呼ぶものに近いのですが、しかし皇帝を掣肘《せいちゅう》する貴族層が消えたことで究極のトップダウン型の権力が生まれ、皇帝の独裁を官僚が支える構造になっている。この「唐宋変革」は現代に至るまで、日本の中国史研究において一貫して重視されてきたテーマです。

歴史が「進歩」したはずなのに、かえって権力の専制化が生じるという逆説が中国史の面白さですが、でも意外にそれは日本にも当てはまるんじゃないの？　というのが、與那覇さんが『中国化する日本』で描いたメッセージでしたよね。

**與那覇**：ありがとうございます。江戸時代の身分制を廃止した明治維新を、日本人は「近代化」（西洋化）と見なすけれども、明らかに明治の方が江戸よりも「中央集権」の体制になる。あるいは平成の日本政治では、派閥の力が強く大きな意思決定のできない昭和の自民党のあり方を改めて、首相がリーダーシップを振るえるようにしようと。そう言って選挙制度や官僚機構を大きく変えたら、かえってこれは「一強」の総理大臣による独裁じゃないのかと、批判する人が出るくらいになりました。

この点でも『東洋的近世』における、宋朝の君主制の説明が参考になります。243ページにいわく、「君主独裁とは君主の恣意が凡《すべ》ての政治の根源となるの謂《いい》ではない。これを官制よりいえば、成るべく多くの機関を直接君主指揮の下に置き、あらゆる国家機能が君主一人の手によってのみ統轄《とうかつ》せらるる組織をいうのである」。君主を「天皇」に置きかえれば、２・26事件の決起趣意書と言っても通りそうだし（笑）、「首相」を代入すれば、まさに平成期の政治改革のビジョンでしょう。

**呉座**：しかも與那覇さんの「中国化」論によれば、宋朝を転換点として、政治の機構だけではなく、経済社会のあり方も「平成」を思わせる形に変わります。いま風に言えば新自由主義的ということですが、猛烈に競争させるかわり、勝った人間はウィナー・テイク・オールで独占していいと。負けた側に対する公的なサポートがほぼない、いわゆる「小さな政府」になってゆく。

たとえば宮崎の著書の254ページから、「胥吏」の説明がありますね。宋朝以降、公的な官僚は科挙で選ばれ、中央から派遣されて地方を治めますが（反乱を防ぐため、原則として出身地には赴任しない）、そうしたスーパーエリートは庶民からかけ離れた存在で、人数は少なく地元の土地勘もない。任地に慣れてきた頃には任期満了で、他の土地に異動させられる。

だから任地を統治するために、実務を担う下《した》っ端《ぱ》の役人（胥吏）については、現地で民間からリクルートしていた。ところがこの胥吏は正式な役人ではなく、国からは給料が出ないので、彼らは「役得」的に賄賂《わいろ》を取って稼ぐようになります。必然として政治腐敗が常態化しますが、地元の事情に通じた胥吏がいないと、もはやエリートは統治できない。

**與那覇**：日本でも令和に入ってからＮＰＯ法人の不祥事が相次ぎ、「平成」の弊害として指摘されている部分ですね。かつて言われたのは、官僚の権限を大きくしすぎると、彼らは恣意的な便宜を図るなどして腐敗する。だから政府の規模を小さくし、育児・介護・弱者支援といった福祉サービスは、民間出身のＮＰＯに委ねていきましょうと。

これが最初は、市場での競争を通じて世の中を刷新するように見えたのですが、でも今度は当のＮＰＯが利権化して、実態の伴《ともな》わない事業で補助金を吸い上げる例が出てきた。要するにＮＰＯなる包装紙が新しかっただけで、中身は中国に昔からいた「胥吏」に過ぎなかったわけです（苦笑）。

## ❖税さえ払えば住民を把握しない「究極のネオリベ」

**呉座**：しかし日本は本当に、中国史の宋朝に相当する「近世」の状態に入ったのか。令和の今でも、まだ「東洋的近世」の手前で足踏みしているように感じる側面もありますね。典型が税制です。

『東洋的近世』によれば、中国では宋の頃にはすでに、土地から取る税金（両税）と商取引に賦課《ふか》する税金（課利）の比率は半々だった。後者のうち最大のものが塩税で、「塩専売に関する法規は塩法と称せられるが、塩法こそは中国近世の帝王独裁政治を表徴するものである」（224～225頁）。調理の上で必須の塩は沿海部でしか作れないので、中国の王朝は専売制にして、内陸部の住民には原価の三十倍超で売りつけていたと。

**與那覇**：中世の「屯田制」（擬似《ぎじ》的な封建制）のような軍団に農耕させて収穫物を収めさせるやり方が、近世には放棄された結果、土地ごとに課す税金の比率が下がっていったわけですね。むしろ塩税をはじめとした、商取引の際に（専売価格や売上税の形で）徴収する間接税が主流になる。

平成の初頭には税の「直間比率の是正」が標榜され、個人の収入を国家が把握して所得税を課すのには限界（完全には捕捉できない）があるから、商取引でお金が動くごとにパーセンテージを賦課する消費税を伸ばして、広く浅く取るしくみに変えましょうと。そう言ってきたはずなのですが、とにかく消費税への反発が強すぎて、遅々として進まない。

**呉座**：日本史上での「近世」にあたる江戸時代でも、商業への課税はうまく行きませんでした。特権商人に献金させる方式が中心で、広く薄く徴収する感じではない。逆に農業の方は、いわゆる五人組制度で百姓を土地に縛りつけて、連帯責任で年貢《ねんぐ》を課すから（一揆など抵抗はあっても）しっかり取れる。これはもう国柄《くにがら》かなという気さえします。

国家が人の「居場所」をがっちり把握した上で、彼らを命令に従わせるのは、梅棹風にいうと「封建制」の特徴で、確かにそれは近代化のベースになる。たとえば徴兵制は、住民登録させていなければ不可能ですから。しかし宮崎が『東洋的近世』で描いたのは、中国は宋朝が成立した後「その先」に行ってしまって、もう国は誰がどこに住むかなんて気にしない。単に、生きていく上で必要なもの（塩）を買う時にだけ税を払ってくれれば、後は好きにしなと。そういう世界ですよね。

**與那覇**：後の『中国史』の中で、宮崎自身がまさに唐末から宋にかけて起きた変革は「武力国家から財政国家へ」の転換だったと表現しています。中世までの武力国家では、地元ごとに住民を徴発して組織し、彼らを働かせる。だから分権的にもなる。
しかし近世になると、塩税を中心に皇帝が莫大《ばくだい》な歳入を独占し、兵隊なんてのは「その金で全国から雇えばいいや」と。これが宋朝以降の財政国家だというわけです。

**呉座**：国を治めるに際して、なにが統治の「最初の一歩」なのか。その順序が中国では、中世と近世のあいだでまったく逆になったという指摘ですね。
擬似的な封建制に基づく中世の税制の撤廃は、もう国家が一人ひとりの民衆を把握しないことを意味するので、社会の自由化ではあった。ただしそれは「どこで野垂《のた》れ死のうが国は面倒みないから、勝手にしろ」という弱者の切り捨てと表裏一体で、かつ生きるための最低限の消費の際にも、税金だけは取られる。與那覇さんが昔書かれたように、宋朝以降の中国近世は、弱肉強食のネオリベ・ワールドの究極系という側面があります。

**與那覇**：そうした政策の結果、西欧が産業革命を達成する前の近世中国が、圧倒的な「経済大国」だったことは事実なんですよね（次ページ・図3）。しかしその繁栄を支えたのは、

図3　明・清時代に最高となった中国のGDPシェア

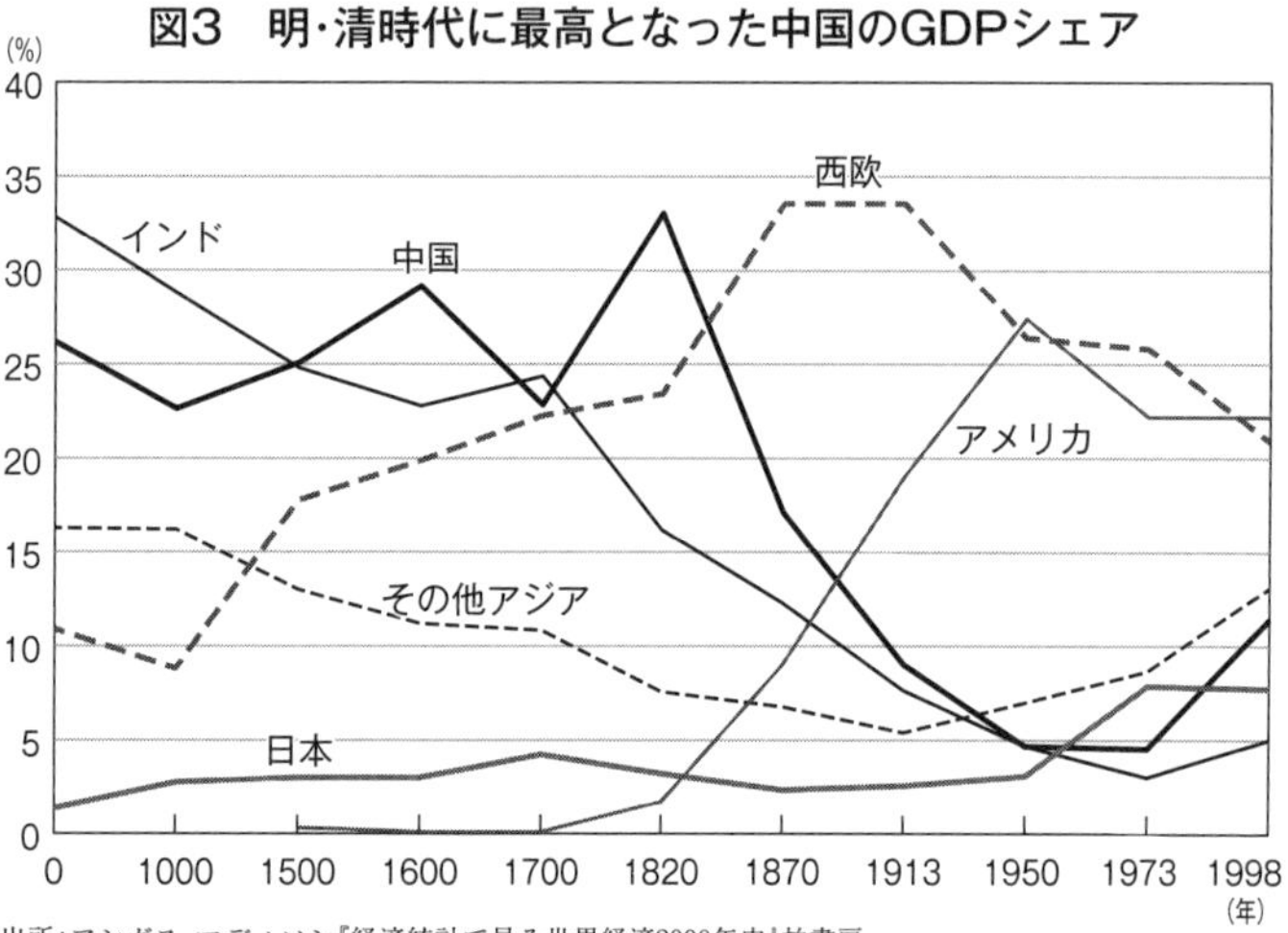


出所：アンガス・マディソン『経済統計で見る世界経済2000年史』柏書房

人類史上の諸文明の中で最も過酷な競争社会だった。これをどう評価するのかは、歴史に留まらず、まさにいま喫緊の倫理的な命題です。

## ❖ＡＩや仮想通貨を煽る人の愚かさ

**與那覇**：たとえば平成の終わりから日本だけでなく欧米でも、「中華未来主義」と呼ばれる風潮が高まっています。ポスト冷戦期に中国が急速に台頭し、「いまや俺って中国人より負け組で、惨《みじ》めじゃん」と感じる人が増えた。意思決定が遅い先進国の民主主義では、世界情勢の急変に対応できないとする不満が生まれ、「もう中国みたいな独裁でいいから、俺が気持ちよくなる政治をやれよ！」と。そうした不穏なムードが広がっている。

２０１０年頃までは「あなたは新自由主義の犠牲者なんです」といった左派的な言論が、先進国の貧困層に届いていたのですが、そこを振り切って「俺は誰にも共感したくない。むしろ圧倒的な強者に自分を投影し、俺以外の弱者を殴ってすっきりしたい」というオルタナ右翼が台頭してきた。16年に米国でトランプが当選したのが典型ですが、宮崎が描く近世中国のイメージは以降の時代相ともシンクロして見えます。

その思想に驚愕しましたが、229ページに葉水心《しょうすいしん》という政論家が出てくるでしょう。南宋の人で、朱子学を体系化する朱熹《しゅき》の同時代人だったようですが……。

**呉座**：「兼併《けんぺい》承認論」という強烈な議論を唱えた人ですね（苦笑）。兼併とは「土地や富の独占」を意味する、漢語としてはネガティブな語彙です。兼併の弊害をいかに避けるかという問いの立て方が、中国では古代以来、官僚や思想家が政治を論じる際の定番でした。ところが葉水心は「兼併のなにが悪いんだ」と正反対のことを言う。富を独占する人はその分、他の人間を雇い、富裕層向けのビジネスの顧客となり、政府が出すべき金も立て替えたりして、いいことをしているんだ。政治家は富者を敵視することをやめて、むしろ彼らに感謝しろというわけ。新自由主義のトリクルダウン・セオリーを彷彿《ほうふつ》させます。最近はネオリベ的な言説は流行りませんが、社会通念とは正反対の内容を露悪的に断言し、「現代の葉水心」のような炎上マーケティングで売れようとする識者は増えていますね。ＡＩ（人工知能）に政治をやらせて、ついて来れない人は見捨てようとか。

**與那覇**：とにかく現状を全否定して、「一発逆転」に賭けたいとする空気があるから、内実の有無を問わずそうした極論がウケてしまう。でもそうした発想の行く先も、『東洋的近世』が描く中国史は予言しているように読めます。

たとえば214ページに、いわゆる「銀銭二貨制」の解説があります。商税重視の宋朝の下で交易が活性化すると、大量の銅銭を持ち運んでの交易が不便になり、遠距離の商取引は銀塊《ぎんかい》で決済するようになる。しかし政府が公認している通貨は銅銭だけで、銀が何グラムで何枚の銅銭になるのかの交換レートは、完全に民間の裁量で決まります。

当時は銅銭のみの決済でも「実際には100枚なくても、100文と見なします」といった割引相場（短陌《たんぱく》）が用途ごとに定められており、中国思想史の小島毅《つよし》先生は今日のポイント還元に喩えていました（『中国思想と宗教の奔流・宋朝』講談社学術文庫）。確かにＰａｙＰ

ａｙとかでよくありますよね、「今月のみ、これへの支出は10％還元します！」とか。
平成末に「一発逆転」を煽る識者が仮想通貨を推《お》したのは、宋以降の中国市場で銀塊が占めていた位置に「これからビットコインが座るかも？」みたいな話でした。中央銀行とは無縁に発行される非公式な交換の媒体が、民間主導でフロンティアに育ちますよと。ところが近世中国の銀の地位にすら進めずに、貨幣として普及するどころか……。

**呉座**：明らかに通貨としては使えない投機の対象だとわかって、最近では「暗号資産」に呼び名も変わっていますよね（笑）。唯一の使い道はマネー・ロンダリングで、ある国の法定通貨で危ないお金を稼いだら、一回ビットコインに交換した上で、また別の国の通貨に再交換して引き出すくらいです。
「政府が関与し得ない領域」を求める反社会的な勢力にとっては、仮想通貨のニーズは大きいのでしょうが、まさに近世中国のようなアナーキーな世界の話ですよね。

## ❖ GAFAの独占がもたらす「中国化する世界」

**與那覇**：ここで『素朴主義と文明主義』の方に目をやると、133ページに宋朝の専売政策は国庫を潤《うるお》す一方で、副作用もあったと書かれています。「近世以後の中国社会はその専売法によって国家の統制に服せざる異分子、秘密結社を民間に培養する結果になり、それが常に内面より国家社会を分解せしめ行く作用を営んでいる」と。

第一次大戦後のアメリカで禁酒法を実施したら、アル・カポネのような密造酒を扱うマフィアが勢力を伸ばすだけだったのと同じ事態を、近世の中国は「必需品を専売制にする形で課税する」手法によって引き起こした。塩を密売して、政府の公定価格より安く売るマフィアは「塩賊」と呼ばれ、社会を不安定化する要因になっていきます。

**呉座**：宮崎以降の実証的な中国史研究を見ても、マルクス主義の階級闘争史観が想定したのとは違って、社会を揺るがす反乱は農民が起こしたものではないんですよ。大規模な反乱を主導するのはまさに「秘密結社」で、塩賊のように脱法的なビジネスを担う暴力団的な勢力か、あるいは新興宗教ですね。両者の性格を兼ねる場合もあります（山田賢《まさる》『中国の秘密結社』講談社選書メチエ、吉尾寛編『民衆反乱と中華世界』汲古書院）。

その意味では、農民や土地に基盤を置く封建制が強かった「第一地域」では、確かに前近代から「革命」は起きにくかったのかもしれません。

**與那覇**：２０１９年にフェイスブック（現・メタ）が仮想通貨「リブラ」を発行すると表明して騒ぎになりましたが（22年に挫折）、今日の世界におけるＧＡＦＡは「巨大秘密結社」みたいなものでしょう。彼らは私たちの生活のインフラを握っているから、無縁では暮らせない。とはいえＧＡＦＡは国の公共機関ではないので、ちょうど塩賊から塩を買って生活するのと同じ状態です（苦笑）。

ｉＰｈｏｎｅが中国で製造されている例が典型ですが、グローバルな企業ほど生産設備を途上国に持っていったために、先進国ではストライキで工場を占拠して要求を突きつけるといった、マルクス主義的な社会運動がそもそも起こせなくなりました。結果としてスティーブ・ジョブズやイーロン・マスクといった著名な経営者をカリスマ視し、政治家ではなく「彼らこそが世の中を変えてくれる」と期待する人が増えた。農民ではなく秘密結社が革命を起こした、かつての中国を笑えなくなってきています。

**呉座**：そもそも19世紀を生きたマルクス本人は、革命は先進的な「第一地域」（西ヨーロッパ）でこそ起きると考えていました。封建制が切り崩されて工場で働き始めた元・農民たちが、労働組合を結成して企業を乗っとり、自ら経営することで「自由の王国」としての共産主義に向かうと。いわばボトムアップ式ですね。

ところが1917年にレーニンがロシア革命を成功させると、むしろブルジョワジーが未成立で全権力が君主に集中する地域で、その集権的な政府機構を前衛党が武力で乗っとり、トップダウンで社会を改造することが革命だとされ、共産主義をめざすルートが180度変わってしまった。

冷戦下なら梅棹忠夫は、だからそんな革命は「第二地域」でしか起き得ないと説いて、日本人を安心させることができたのですが、だんだんそれが怪しくなってきた。GAFA的なプラットフォーム資本主義は、それ自体が「バーチャルな第二地域」として、いまや先進国をも覆いつつあると言えます。

## 北宋期に流産した「主権国家」の外交

**與那覇**：１９４０年に刊行された『素朴主義と文明主義』は、夏・殷《いん》・周という中国最古の王朝から始まり、中国全史と呼べるスケールを備えています。タイトルにいう「素朴主義の民族」とは、基本的には遊牧民のことで、「文明主義の社会」の方が、中国大陸に成立する諸王朝ですね。両者の交流や衝突こそが、中国では歴史のダイナミズムを作ると宮崎は考えました。

宮崎に従えば、中世（魏〜唐）には中国でも事実上の封建制が成立したので、日本やヨーロッパと同じ方向に社会が発展する可能性もまだあったということになるはずです。しかし近世に「第一地域」と「第二地域」の命運は分かれ、両者は対照的な歩みを見せるのですが、呉座さんはなにがその原因だと思われますか。

**呉座**：難問ですが、『東洋的近世』でいうと273ページ以降の叙述が鍵かなと思います。「国民主義」の観点で東西を比較すると、ヨーロッパの特徴は「その地形の分裂性と、歴史の割拠性」にあるという。

欧州は中国に比べて狭いにもかかわらず、峻険《しゅんけん》な山脈で寸断され、自らが「この国に属してきた」といった過去の記憶がひとつにまとまらない。だからイギリス、フランス、ドイツ……のように細かく分かれ、しかしそれぞれの内側では全員が強烈に同一化してゆく政治体制になる。近代以降に「主権国家／国民国家」と呼ばれるシステムです。

これに対して中国大陸は地形が平坦で、分裂時代があっても常に統一王朝に戻ってきたから、広い範囲で「中華」という意識を共有する国民主義になる。しかしその分、同化政策のような圧力はヨーロッパのように強くない。とりあえず支配を受け入れてくれさえすれば、後はまあ適当でいいよという「帝国」的な広く浅い統治になるわけですね。

**與那覇**：いまアクチュアルな問題で、通俗的な文明論だと「中国は伝統的に朝貢外交だったので、主権国家どうしの対等性を認めることができない」みたいに言うでしょう？　欧米主導の国際社会とは外交の原理自体が異なり、臣従か戦争かの二択なんだと。しかし歴史を振り返ると、最初からそう決まっていたともいえない部分が見えてきます。
塩の税収で雇う傭兵制に切り替えた宋朝は、商業的に繁栄しても軍隊が弱かったので、遊牧民族の契丹が建てた遼《りょう》に圧迫され、１００４年に「澶淵《せんえん》の盟」という講和条約を結ぶ。しかし『東洋的近世』の267ページにあるように、これは対等条約なんです。「平等なる国家と国家との交際、ヨーロッパの国際関係に近いものが始《(ママ)》めて東洋において実現を見た」というのが、宮崎の評価ですね。

現在だと宋朝による再統一がならず、直前の五代十国時代の分裂状況がずっと続いたら、中国でもウェストファリア体制に近い国際環境が成立したと見る議論もあります（溝口雄三・池田知久・小島毅『中国思想史』東京大学出版会）。つまり内政だけでなく外交の面でも、近世すなわち宋代に中国文明の形が確定されている。

## ❖ 国境を引かない「帝国」のブラックホール

**呉座**：澶淵の盟が永続し「ここに国境線を引いて、お互い住み分けましょう」とする発想が定着すれば、似た可能性はあったかもしれませんね。しかし宋は遼の後に台頭した女真《じょしん》族の金に侵入され、滅んでしまう（１１２６年。王室は江南に亡命し、南宋を建国）。『素朴主義と文明主義』でより顕著に描かれますが、中国大陸には周囲の遊牧民を惹きつけるブラックホールのような吸引性があり、いつまでも「内と外」の境目《さかいめ》が定まらない。

言い換えると、今までは同じ国として一緒にやってきたけど、異なる民族意識に目覚めたので「新たな国境を引き、出ていかせていただきます」といった分離主義的なナショナリズムは（西洋史上では事欠きませんが）中国史ではまず見られない。今日の台湾はその最初の事例かもしれなくて、だからこそ大陸中国の側は認める気がまったくない。

**與那覇**：相似形の問題として、宋朝で全面化した科挙は人類最初のメリトクラシーであり、欧米の「近代社会」にも先駆けていました。宮崎も『東洋的近世』の249ページで、ようやく1870〜80年代に官僚を試験で選ぶようになった英米両国は、科挙から大幅に遅れていたと指摘します。

しかし宮崎自身が『科挙　中国の試験地獄』（中公新書）で論じたように、科挙は「試験だけをやって教育はしない」という偏ったメリトクラシーで、宋以降の王朝も公教育（学校）は整備しなかった。世界のどこからでも「受けに来るのは自由だし、合格したらいい思いを約束するよ」と、有為《ゆうい》の人材をまさにブラックホールのように吸引して、自分の手では育てない発想だったわけです。

作家の司馬遼太郎と陳舜臣《ちんしゅんしん》が対談で語っていますが、これは近代以降のアメリカにも近い（『中国を考える』文春文庫）。海外からも「どんどんお出でください」としてリクルートする分、国内の福祉は二の次になる。そうしたあり方を批判する側の目には、かつての中国も近日までのアメリカも、国ごとの境目を無視して尊重しない「帝国」に見える。

**呉座**：確かに「欧米」とついくくりがちですが、同じ西洋でもヨーロッパとアメリカってまったく違いますからね。梅棹忠夫がいう生態史観上の「第一地域」にも、厳密にいうと米国は含まれない。あくまでユーラシア大陸に限っての地域区分ですから。

だからアメリカについては西洋的な「近代社会」として、ヨーロッパと一緒に分析できる部分と、そうでない部分とが出てきます。いうまでもなく、アメリカ史上に「封建制」は存在しない。その意味で米国には、「第二地域」的な要素がもともと濃厚に存在すると見るべきかもしれません（第４章も参照）。

## ❖循環史観の起源はローマ帝国の衰亡？

**與那覇**：アメリカとの対比でいうと、僕は『素朴主義と文明主義』の48ページの記述が気になりました。中国全土を初めて統一したのは始皇帝の秦《しん》で、その統治を支えたのは「法家」の思想だった（儒家の採用は、次の王朝の漢から）。最近だとマンガの『キングダム』（原泰久・作。集英社）で広く知られますが、秦は戦国の七雄として最も西端の、中央アジアの入り口と呼んでもいい辺境から始まった王朝です。

宮崎いわく、秦に強力な国政術をもたらした衛鞅《えいおう》（商鞅）など法家の思想家は、実は中国の中心部から流れてきた人たちである（他に韓非子・李斯《りし》など）。彼らの思想は純粋すぎたため、すでに古い文明が発展していた地域では受け入れられず、未開発ゆえに素朴な辺境の秦だけが全面的に採用し得た。そのことが統治面での爆発的なイノベーションにつながり、秦の全土統一を可能にしたと。

これはちょうどヨーロッパという「旧世界」に対して、新大陸アメリカが果たした役割に近い。よく言及されますが、アメリカ合衆国が独立宣言を発した1776年は、アダム・スミスが英国で『国富論』を刊行したのと同じ年です。封建制が残る欧州では「思想」に留まっていた自由主義が、米国という辺境＝フロンティアでは100パーセントの現実として実践された。結果としてよかれ悪しかれ、資本主義にせよ新自由主義にせよ、アメリカがいちばん「純粋」な形で今日も運用しているわけです。

**呉座**：その対照は興味深いですね。確かに同じ資本主義の先進国でも、たとえばドイツは同業組合などの規制が強く、アメリカのような自由放任の競争主義にはならない。この違いも元をたどれば中世期の封建制、つまりギルドの伝統の有無に行きつきます。

**與那覇**：『素朴主義と文明主義』はこうした形で、まず中国の中心部に高度な文明が構築される。しかしそれはやがて硬直して、自己変革ができなくなり停滞してゆく。そこに辺境から素朴さゆえの創造力を持つ遊牧民が攻め込み、桎梏《しっこく》と化したレガシーシステムをリセットして、文明に活力を取り戻させる。でも、時が経つとそれもまた停滞して……とする循環史観で中国全史を描いています。

「素朴」の定義が学術的にきちんと書かれていない恨みはありますが、社会的なタブラ・

ラサ（白紙状態）みたいなものですかね。まだなにも構築されていないからこそ、当時の先端的な思想に基づいて、どんなシステムでも書き込めるというか。

**呉座**：私の見るかぎり、「素朴と文明」という切り口自体は宮崎のオリジナルではなく、むしろ戦前の歴史学では一般的な視角だったように思います。たとえば日本史で武家政権の成立を論じる際も、平安時代、京都の朝廷は華美な文化に溺《おぼ》れて惰弱になり、政治も形骸化して社会の実態から遊離する。そこで東国という辺境で育ったがゆえに野蛮だが「質実剛健」な武士が立ち上がり、鎌倉幕府を作って政治を簡素化・健全化すると。そうした「公武対立論」に立つ歴史叙述が当時は標準的でした。

こうした鎌倉時代像を定着させたのは、京都帝大の教授だった原勝郎の『日本中世史之研究』（１９２９年。のち『日本中世史』と改題して講談社学術文庫など）ですが、実は彼の本業は西洋史なんです。つまり、古代のローマ文明は偉大だったものの、時を追うにつれて爛熟《らんじゅく》と裏腹の衰弱が始まり、素朴さゆえに戦士として強いゲルマン民族に滅ぼされたと。そうしたヨーロッパの歴史語りを輸入して、日本史に当てはめた感は否めない。宮崎も、それに影響された面はある気がしますね。

## 日中戦争を「素朴と文明」で評価できるか

**與那覇**：なるほど。宮崎の『素朴主義と文明主義』の初出は１９４０年だから、原の著書の約10年後ですね。そして、これが日中戦争の最中だった点にはやはり問題がある。つまり腐敗しきった中華民国の体制に対し、「辺境」ゆえの素朴さを持つ日本軍が侵攻して、中国をリフレッシュさせてあげるんだと。そうした利用ができてしまう歴史観だし、宮崎の叙述からもそれを意識していたことがわかります。

一方で宮崎は敗戦のだいぶ後、１９８２年の「素朴主義と文明主義再論」で反省を述べていて、その内容が興味深い（『素朴と文明の歴史学』講談社学術文庫などに再録）。つまり、確かに日本の侵略を肯定する歴史観だったという自覚はあると。しかし、だからといって「素朴と文明」という視点自体が無価値だとはならないし、むしろ日本の敗北はその正しさを立証したと。

日本は素朴主義の国だったのに、明治維新で文明を築いた結果として腐敗し、特に最も素朴さを重んじるべき軍人が、出世のために戦果を上げようとするエゴイズムに囚《とら》われていった。これは実は、中国で科挙の武官版（武挙）が陥った失敗とまったく同じであるという。メリトクラシーに基づく文明化には、「俺が偉くなりたい」という欲に憑《つ》かれた人物ほど、強権を手にしやすくなる欠点がある。

**呉座**：実力競争を「解凍」してしまうと、かえって社会が不安定になることの一例ですね。中世の武士もそうでしたが、特に暴力を扱う世界でそれが暴走すると危ない。

**與那覇**：そしてどうも戦時中から、宮崎は日中両国に対する見方を変えた節もあるんですよ。重慶に遷都して日本軍の空襲を浴びても抗戦する蔣介石こそが、素朴主義の最たるものだと。友人の小竹文夫（東亜同文書院教授）と、春秋時代の名君である趙襄子《ちょうじょうし》が居城が水攻めで陥落寸前となっても、民衆に背かれなかった故事を思わせるよねと語りあっていたらしい。しかしその蔣介石も、日本に勝った後に華美な大都会に復帰すると堕落し、農村に雌伏《しふく》して素朴さを養っていた共産党に敗れてゆく。

ちょっとなんでも「素朴と文明」で斬りすぎだろうとも思う裏面で（苦笑）、国別・民族別ではない枠組みだからこそ、柔軟に評価を変えてゆくことができたとも言える。「日本と中国」で斬ってしまうと、戦前は「日本文明は優秀・中華文明は劣等」といった構図に陥りがちだったわけですが、宮崎の議論はそうした自民族中心主義とは無縁だった。

**呉座**：そこはやはり、時間軸を入れて考える歴史学の長所だと思います。日本にも中国にも、粗野だが進取の気性に富んだ活力あふれる時期と、消費生活が発展する裏面で社会の空気が澱《よど》む時期との双方があり、「ずっと素朴」「ずっと文明」といった国があるわけではない。決定論的な通俗文明論への解毒《げどく》剤としてこそ、歴史学の有効性は活きるんですね。

また戦時中に書かれた『素朴主義と文明主義』の139ページには、「近世に至り中原の文明社会はますます文明化した。文明の華は即《すなわ》ち美なるも、その健全性には疑問がある」と記されていて、宋朝の経済的な繁栄は堕落の始まりでもあったと、やや冷たい評価をしている。一方で１９５０年の『東洋的近世』では、宋代の文化的な洗練は西洋のルネサンスに先行し、芸術的な価値も劣らないとするポジティブな論じ方になっている。

近世の段階で中国が到達した国柄は、西洋の近代社会が一個の「文明」であるのと同様に、きちんと評価されるべきなんだと。そうした境地に至っているように読めます。その点では「東洋的な近世」という概念の提唱こそが、宮崎にとっての戦争の反省だったのかもしれません。

## ❖「原点回帰」で共通する朱子学とトランプ

**呉座**：宮崎が素朴主義という視点を採り入れたのは「なぜ西洋が東洋を逆転し得たか」という問いに答えるためだったと思います。宮崎の多くの著書に共通する図ですが（図4）、世界で最初に「近世」に入ったのは西アジアで、中国がそれに次ぎ、西洋は最後の「後進地帯」のはずだった。しかしなぜかルネサンス以降にヨーロッパは台頭し、アジアを打ち負かして植民地化した。

『素朴主義と民族主義』は170ページから唐突に西洋史に飛び、イスラム文明に隣接するヨーロッパには「素朴主義」が残っており、それが文明の腐敗を防いで、むしろイスラムから科学という良質な部分のみを採り入れることを可能にしたと語られます。つまり宮崎にとっての素朴主義の概念は、本来はユーラシアの「辺境」だった西洋の台頭を説明する原理になっていて、だから東端の「辺境」にあたる日本もまた、素朴主義の力でアジアの覇者になり得るとする構図になっている。

**図4　西アジアを最先端地域とみる宮崎世界史**

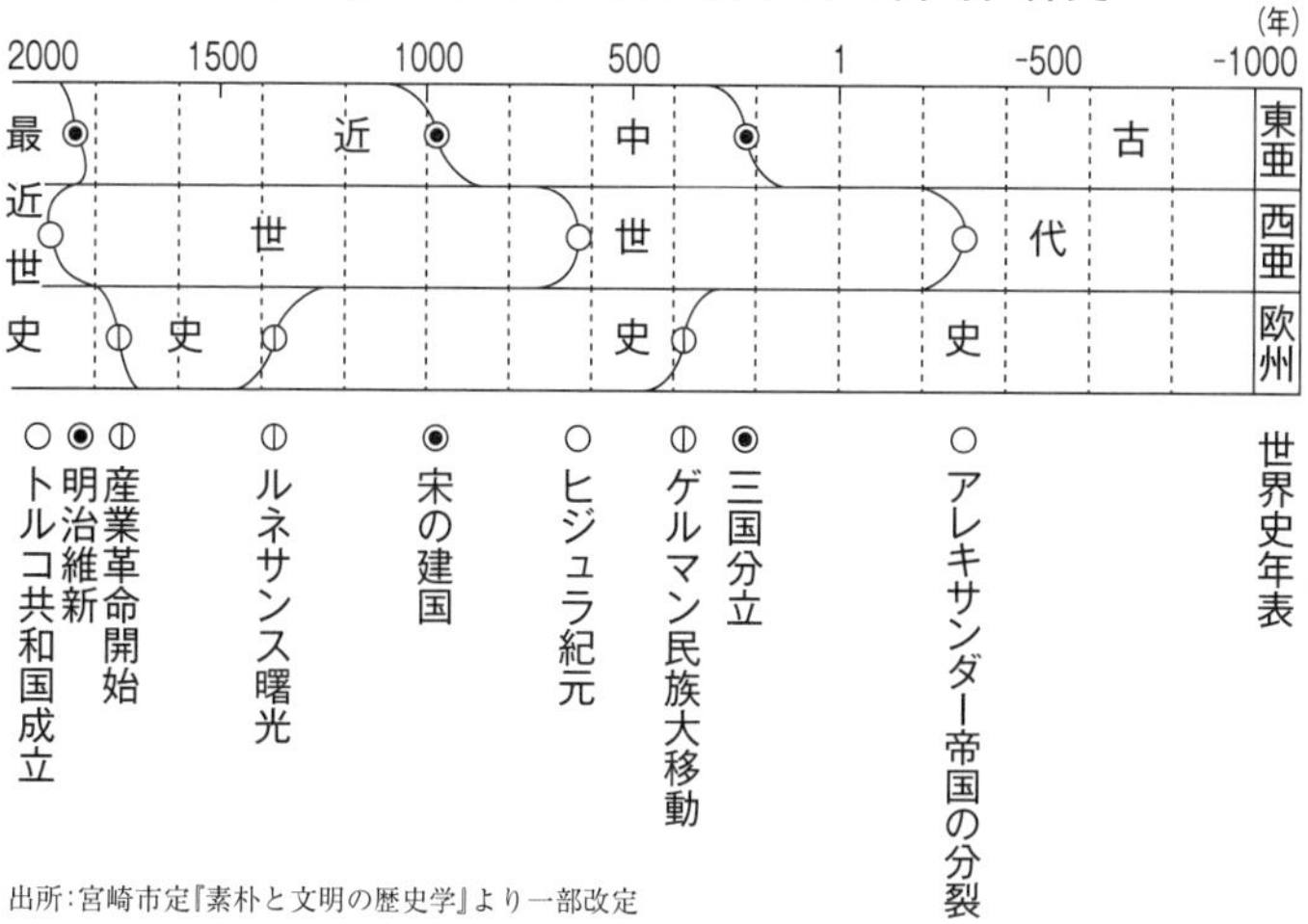


出所：宮崎市定『素朴と文明の歴史学』より一部改定

ただし現在はむしろ、両者に挟まれた「ユーラシアの第二地域」こそが台頭する時代ですよね。果たしてそれまで「ロシアや中国には素朴主義が残っているのだ」で語ってよいかは、慎重な議論が必要でしょう。

**與那覇**：そこは宮崎のいう「素朴主義」を、今日よく聞く「原理主義」にスライドさせて考えると、洞察として多くを得られるように思うんです。

たとえば『素朴主義と文明主義』の67ページに、漢王朝を一時的に簒奪《さんだつ》して「新」を建国した儒者の王莽《おうもう》が出てきます。彼は儒教が説く均分主義を実現するべく、国有化と価格統制を強行した一種の共産主義者で、宮崎もその狙いは「極めて近代的」だったと評している。しかし古代でそれを試みたから当然のように失敗し、王莽は「死に至るまで聖賢の語を口に誦《じゅ》しつつ暴徒に殺されるに至った」。

また150ページからは、宋代の「新法・旧法」の争いについて、通説とはかなり異なる見方を示しています。一般には北宋の宰相だった王安石が新法派（改革派）、逆に南宋の朱熹が旧法派（保守派）の代表とされますが、両者は教育面での「素朴化」を試みた点では共通だと。儒学の教えが文明化に伴って堕落し、単なる形式主義に陥った点を問題視して、ともに素朴な精神を取り戻すための再解釈を試みたと。

王莽は儒学の理想をそのまま現実化しようとした点で「儒教原理主義」だったし、宮崎の見るところの王安石や朱熹も、儒学のテキストの読み方を改めて「原点回帰」をめざした点では、やはり原理主義と呼べるわけです。そうした現象は前近代の中国史に限ったものではなく、むしろポスト冷戦期のいまこそ、世界で顕在化してはいませんか。

**呉座**：それは面白い。たとえばトランプ現象にしても、米国の「先祖返り」という側面があるわけですよね。

まず彼の言動はきわめて「素朴」だし（苦笑）、神学者の森本あんりさんが『反知性主義』（新潮選書）で論じたように、アメリカ史上では定期的に起きたキリスト教の覚醒《かくせい》運動——原点回帰をうたうリバイバルの最新版が、宗教右派に推されたトランプ当選だったと見ることもできます。やはりアメリカは「第二地域」に近いのかもしれません。

## ❖原理主義の「リセット願望」が世界史を動かす

**與那覇**：前章でイスラム原理主義の問題が出ましたが、西アジアの専門家である三木亘《わたる》さんの『悪としての世界史』（文春学藝ライブラリー）によると、「純朴な遊牧民が腐敗した都市文明を刷新し続ける」という歴史観はもともと、14世紀にイブン・ハルドゥーンが提唱したものらしいんですよ。

ハルドゥーンはいまでいうチュニジアの出身ですが、元は彼らの一族はイベリア半島で生活しており、ヨーロッパの勃興《ぼっこう》に伴い追い出されて北アフリカに渡った。ハルドゥーン自身も宮廷に仕えて改革を志したものの、陰謀が露見し投獄されるなど苦労したらしい。そこから「なぜイスラムの王朝は、優れた思想を持ちながらも腐敗するのか」を探求して、独自の歴史観で説明するに至ったと。宮崎がハルドゥーンにどの程度影響されたのかは、興味のある問いですね。

**呉座**：なるほど。梅棹忠夫はユーラシア史における遊牧民の役割を「破壊」としか見ませんでしたが、ハルドゥーンないし宮崎は彼らが文明を襲うことに「腐敗をリセットする効果」を見て、ポジティブに捉えた。だから宮崎の場合は、近世以降の中国の皇帝独裁を「アジア的停滞論」のようには解釈しない。

『東洋的近世』の225ページの記述は、前章で触れたウィットフォーゲル的な議論への批判としても読めますね。なぜ中国では皇帝の権限が巨大かという問いは、「灌漑のための水利統制とか、遊牧民に対する防衛の必要上から」としてだけでは説明できない。他にやり方がないから強い独裁者を容認したといった消極的な理由のみでなく、そうしたあり方が一個の文明として要請された側面があるとして、積極的に評価すべきだとしている。

**與那覇**：原理主義においては「正しい思想」を実現するためなら、どんな破壊行為でも、強大な権力でも肯定されてしまうんですよね。腐敗した既存の体制を全否定しリセットするのも、むしろ好ましい行為だと見なされる。

かつてのユーラシアでは遊牧民による「王朝の打倒」がその役割を担ったし、今日でいえば片方の極にはイスラム国があり、もう片方の極にはトランプがいる（笑）。ウクライナ戦争でプーチンが見せている、「あるべきロシア」を回復するためなら「既存の国際法は無効にします」といった態度も、そうなのかもしれません。

## ❖ ユーラシアに「寛容な帝国」は甦《よみがえ》るか

**呉座**：宮崎が描いたユーラシア史の構想は、その後も京大東洋史の学統に受け継がれました。近年それを代表するのは、杉山正明さんのモンゴル帝国研究ですね（『遊牧民から見た世界史』日経ビジネス人文庫など）。チンギス・ハーンが略奪者だったという通説は、後世に西洋で生まれた虚像に過ぎず、実際のモンゴル帝国の支配は間接統治に近い、緩《ゆる》やかなものだったとされます。

むしろ交易路や駅伝制度の整備によって「パクス・モンゴリア」のような巨大経済圏が生まれ、大航海時代に海路でヨーロッパが東西をつなぐ前に、最初のグローバル市場を整備したのはアジアの遊牧民であったと。こうした見方はオスマン朝をはじめとする、イスラムの諸帝国についてもよく指摘されます（次章で詳述）。その原型が宮崎市定の述べた「東洋の国民主義」、すなわち西洋型のナショナリズムと異なり、広い地域を表面のみ覆って、強引な同化政策は採らなかったとするモデルでした。

前近代には第二地域の方が第一地域より繁栄し、統治も寛容だったわけですが、しかし現在は中国・ロシア・インド・イスラムのいずれでも原理主義が台頭し、異なる民族や宗教を迫害する傾向が強まっている。これをどうしてゆくかが今日の課題です。

**與那覇**：ヒントになるのは『素朴主義と文明主義』で宮崎が示したように、東洋の帝国と西洋の植民地主義では「同化」の方向性が逆でしょう。近代の帝国主義の同化政策では侵略者の側が、征服した相手に「上から」言語や文化を押しつけます。

ところが前近代の中国では、遊牧民が外から侵入して征服王朝を立てても、彼らはいつしか「被支配者」だったはずの漢族の文化に同化してしまう（＝素朴さを捨てて、文明化する）。ここもやはりアメリカは似ていて、前近代の中国以上のブラックホールとして全世界から移民を吸引しても、ある時期まで「新しく入ってきた諸民族」は、元々あったアメリカ文明に同化していった。いかなるルーツの移住民でも「アメリカ化」できる力こそが、米国の誇りでありソフトパワーになっていた。
その意味でアメリカは「第二地域」に近い性格があったのですが、近日はむしろ「移民に国を乗っとられる！」的なゼノフォビア（外国人恐怖）が高まり、トランプがメキシコ国境に壁を作れと叫んだりする。内外を分断して強い一線を引く「第一地域」の発想が、封建制とは無縁のはずの米国でも強まっています。

**呉座**：それが大きな問題ですよね。やはり通時的に見ると、第二地域が「第一地域的」になる時代もあったし、その逆の事例もあることがわかる。地理的な位置と気候・植生ですべて決まるとする、決定論的な文明論だけではそうした変化が見えない。
梅棹忠夫が言ったように第一地域の封建制こそが、分権的な自由主義の基盤として民主主義を支えるのか。それとも歴史的には第二地域の特徴だった、緩やかな帝国の統治こそが、今後も社会に寛容さをもたらす可能性を持つのか。イスラム文明、アメリカ文明を扱う続く２つの章では、そこにも注目していきたいですね。

# 第3章

## 井筒俊彦『イスラーム文化』

### ――「滅びない信仰」の源泉は天皇制も同じ？

# 井筒俊彦

（いづつ・としひこ）　1914～93年

哲学者、東京都新宿区出身。慶応義塾大学で教鞭をとった後、カナダのマギル大学に移る。禅に傾倒する父の影響もあり、イスラームのほか『神秘哲学　ギリシアの部』（1949年）、『ロシア的人間』（53年）など、思想や文学も参照しつつ一貫して神秘主義の問題を探求した。ジャック・デリダらとも対等に議論を交わす、国際的な知識人として知られた。

使用テキスト＝『イスラーム文化　その根底にあるもの』岩波文庫、1991年

単行本は1981年刊。毎日出版文化賞受賞。

## ❖ イラン革命という「歴史観の転換」

**與那覇**：3冊目は井筒俊彦（哲学）の『イスラーム文化』です。1981年に日本の財界人に向けて行った講演を、同年中に書籍として刊行したものですね。

井筒さんは30か国語を使いこなしたと呼ばれる伝説の思想家で、比較宗教学的な言語論や存在論の探究で知られます。海外で活躍する日本人学者の走りでもあって、実は本書の成り立ちにもその研究歴が大きく関わっている。

**呉座**：年譜をあたると、日本では出身校の慶応義塾大学で教鞭をとった後、1962年にカナダのマギル大学に赴任（当初は客員）。69年に同大学のイスラーム学研究所がテヘランに支部を設けたので、そちらに移るのですが、79年にイラン革命が起きてしまう。

このとき外国人は人質にされる恐れもあったため、急遽《きゅうきょ》脱出して日本に戻り、本書の講演を行ったと。第二次石油危機を起こしたイラン革命は、日本人にも「そもそもイスラームってなんだ？」という関心を掻き立てる事件だったんですね。

**與那覇**：1冊目の梅棹忠夫の著書にも出てきたように、1960年前後にもアラブ連合共和国の試みがあり、73年には第四次中東戦争が最初のオイルショックを起こすなど、それまでも中東の政情は注目を集めてはいました。ただ、当時はあくまで「アラブ・ナショナリズム」の勃興として捉えられていた。

**呉座**：そうなんですよね。ようやく「アラブ」という単位で、中東にも近代的な民族主義が姿を現すようになったと。そう捉える分には、「遅れた」地域がついに近代化を始めたというだけの理解ですむので、歴史観を書き換える必要はない。
　ところが79年のイラン革命では、指導者のホメイニーが明確に「イスラームを指導原理とする」と唱えた。これでは近代化どころか、日本人の感覚だと「中世への回帰」ということになってしまう。なぜそんな事態が起きるのか、その説明を求めて井筒さんの講演をみんな聞いたのでしょう。

**與那覇**：井筒俊彦にはいまも多くのファンがおり、著名な識者の井筒論を集めた『井筒俊彦ざんまい』（若松英輔編、慶應義塾大学出版会）といった本も出ています。一例だけ紹介すると、慶応の学生として井筒の授業を履修した江藤淳のものが面白い。

江藤は１９６２年から2年間、プリンストン大学で客員として過ごしますが、「出身は慶応大です」と言っても米国では通じなかった。ところがペルシア語の専門家に「慶応なら井筒先生の弟子かね？」と話しかけられて、国境を超える井筒の名声と、言語学の理論を教わった学恩を痛感したという。

『イスラーム文化』が毎日出版文化賞を受けるとき、選考会での説明は文芸批評の大家となっていた江藤が担当しましたが、自分は井筒先生の弟子を名乗れる者ではなく、いまも一学生に過ぎないとまで謙遜《けんそん》していますね。それほど圧倒的な知性の持ち主だった井筒の、主たる研究対象のひとつがイスラームでした。

**呉座**：井筒の業績はあまりに幅《はば》広すぎて、単純に「イスラーム研究者」とすら呼べないのですが、それは議論の中でフォローしてゆくことにしましょう。

また「イスラーム」と伸ばすのか、あるいはコーランか「クルアーン」かなど、この分野は表記法をめぐっても難しい事情が多い（苦笑）。この章では基本的に、井筒の著書に沿った表記で進めたいと思います。

## ❖「聖俗一致」で共同体を作るイスラーム

**與那覇**：『イスラーム文化』は三部構成となっており、第一部が宗教としての概観。「法と倫理」と銘《めい》打たれた第二部がスンナ派論で、第三部「内面への道」がシーア派論ですね。

歴史的な目で見ると、イスラームの創始者はムハンマド（マホメット）ですが、その存命中も教えの内容は「メッカ期」と「メディナ期」で大きく違う。これが、井筒の描くイスラーム成立史のポイントです。

**呉座**：ムハンマドはメッカで布教を始めますが、当初は怪しい新興宗教として弾圧されたため、教義内容が非常に暗い。バラバラの個人が暗黒の世の中で苦しむ、こんな不正義に満ちた世界はやがて滅ぶ、といった終末論的なビジョンだったと書かれています。

結局、ムハンマドはいったんメディナという別の都市に逃れ（聖遷《ヒジュラ》、622年。この年がイスラーム暦では元年）、そこで勢力を挽回して、やがてメッカに進軍することになります。

なのでメディナ期にはポジティブな教えになり、いかに理想的な「共同体」をイスラームの信徒どうしで作り上げるかという、建設志向で明るい方向性に変わっていったと。

**與那覇**：興味深いのが107ページ以降の記述で、メッカ期のイスラームでは、預言者ムハンマドの存在はそう大きくなかった。一人ひとりの信徒が個人の資格で、一対一の関係で神との契約を結ぶイメージだった。いわば実存主義的な宗教だったわけです。

ところがメディナ期になると、現世を生きる信徒はまず、神の「代理人」としてのムハンマドと契約を結ぶ。結果として、ムハンマドと契約したものはみな同胞・兄弟と見なすような共同体が組織され、そのグループを拡大し世界の全員を包み込むことが究極の目標になる。つまりイスラームは、組織神学としての宗教へと大きく転換します。

ここで思い出すのが、梅棹忠夫は第二地域の特色に「政教一致」を挙げました。梅棹が出す例は近世以降のロシアとトルコで、どちらも政治的な指導者が、宗教的なトップも兼ねた。しかし井筒さんのムハンマド論を読むと、メディナ期に彼を神の代理人として創立された「イスラーム共同体」こそが、そうした体制の原型としても見えてきます。

**呉座**：その問題を考える上では「政教分離か、政教一致か」の手前に、そもそも「聖俗分離か、聖俗一致か」が分岐点になりそうです。イスラームは聖俗を分けない、宗教上の経典であるコーランがそのまま法律なのだとよく言われますが、井筒さんも講演の冒頭でそう説明していますね。

40ページにわかりやすい喩えがあり、キリスト教ならそもそもイエスが「カエサルのものはカエサルへ、神のものは神へ」と言って、世俗の秩序と信仰世界とは別だと切り離した。日本でも「葬式や法事などは坊さんにやってもらいますが、ふつうの日常のことは自分で勝手にやる」。しかしイスラームではすべてが神の秩序であり、日常生活のあらゆる場面で「坊さん」のように振る舞うのだと。

「生活の全部が宗教なのです」とも書いていますが、それなら町内会長を選ぶ感覚で地元のまとめ役を選出すれば、自ずとその人が宗教的にもリーダーになる。イスラームは聖俗一致であるからこそ、必然として政教一致になると考えるべきなのでしょうね。

**與那覇**：なのでリーダーに選ばれた1名が、聖も俗も一体の「共同体」の全体を代表してしまう。ここが重要かなと思うんですよ。梅棹風に言えば、第一地域は分権的な封建制のおかげで、教皇と王とは別の人だから、どちらもそこまで強力な代表者にはなり得ない。しかし、第二地域は違う。

冷戦下ではロシア（ソ連）のスターリン、中国の毛沢東、北朝鮮の金日成といった指導者が「私こそが全人民の意思を体現するのだ」と唱え、実際に人々が跪《ひざまず》きました。当時は共産主義のイデオロギー（民主集中制）から来る現象だと思われたけど、むしろその奥底には、井筒さんがイスラーム共同体の形成に見出した歴史の古層があったんじゃないか。中東諸国でナショナリズムの発現だと見なされてきたものが、外皮を取ったら「実はイスラーム主義でしたよ」となったのと同じように。

**呉座**：なるほど。実際にスターリンや毛沢東はしょっちゅう評論や論文を書き、「なにが学問的に正しいか」「どんな芸術が美しいか」まで全部決めました。中国全土を大混乱に陥れた毛沢東の文化大革命が、歴史を扱う京劇『海瑞罷官《かいずいひかん》』を毛や側近らが批評したことから始まった挿話はよく知られています。

むろん、反体制の運動を招きかねない文化は未然に芽を摘《つ》む、という狙いもあったでしょう。しかしそれ以前に、万能の指導者たる自分の感性が、人民にとっての基準と一致しない領域など「あるはずがないのだ」という猛烈な信念を彼らには感じますね。そうした発想は「聖俗を分けず、思想も宗教も日常と一体だからこそ、政教が分離しない」ような共同性にも通じる気がします。

もしそうなら、イスラームこそが最もユーラシア的というか、梅棹が第二地域と呼んだ社会の原型だと考えることはできそうですね。

## ❖ 文明の本質は「部族主義」の克服

**呉座**：梅棹との対比で気になったのは、冒頭で井筒がイスラームへの通俗的・表面的な理解を批判する部分です。イスラームはベドウィンのような「砂漠の遊牧民」の宗教と呼ばれがちだけど、本当は「都市の商人」の宗教で、両者は正反対の性格を持つ。「預言者ムハンマドはまさに砂漠的人間のいちばん大切にしていたもの、砂漠的人間の価値体系そのものに真正面《ましょうめん》から衝突し、対抗し、それとの激しい闘争によってイスラームという宗教を築き上げた」と（26頁）。

梅棹や宮崎市定は、ユーラシアの歴史をひとつにつなぐ一番の基底は「遊牧民だ」と考えました。しかし井筒の場合はまったく逆で、むしろ遊牧民の生活世界を普遍宗教の力で克服したところから、ユーラシア史が出発したと位置づけていた節があります。

**與那覇**：２０２３年に批評家の安藤礼二さんが書いた『井筒俊彦　起源の哲学』（慶応義塾大学出版会）が、井筒の全体像を押さえた最新の研究ですが、井筒の「本業」は構造主義にも通じる宗教性の比較研究でした。古代のギリシア哲学も、イスラームも、仏教や老《ろう》荘《そう》思想も、近代ロシア文学に表れた東方キリスト教に由来する救済論も、掘り下げていくと互いに通じるひとつの境地があるんだと、そう考えていた。

ここで構造主義ならば、外から眺めて「似ている」だけでもいいんですよね。イスラームの教義も老荘の世界観も「『構造』としては同じ形をしていますよ」でＯＫで、歴史的な起源を探求する必要はない。しかし井筒さんの場合は、ここまで相《あい》通じるものどうしは元々つながっていたはずだと考えて、シルクロードを通じてギリシア哲学の新プラトン主義が大乗仏教に伝わり、空海にまで影響を与えたという歴史観を描く。

ちなみに、だからギリシアは「東洋だ」というのが、井筒さんの信念だったようです。第１章で触れたとおり、梅棹の『文明の生態史観』にはギリシア文明を考えると「東洋・

西洋」の区切りは怪しいという、井筒からまた聞きしての引用がありますが、少しニュアンスを取り違えている感もありますね。

**呉座**：そうした思想や宗教の力で乗り越えられる遊牧民的な世界とは、ひとことで言えば「部族主義」ですよね。117ページにいわく、

**イスラームは血縁意識に基《もとづ》く部族的連帯性という社会構成の原理を、完全に廃棄しまして……その代りに唯一なる神への共通の信仰を、新しい社会構成の原理として打ち出しました。**

社会が親族集団ごとに分かれて、マフィアのファミリー統治のようになっていたのが遊牧民の日常だった。親の命令に従い、兄弟どうしが助けあって、他のファミリーにメンツを汚《けが》されたら報復することの繰り返しですね。私の専門で言うなら、ヤクザ的な暴力集団としての中世武士に近い（笑。第5章で詳述）。

ムハンマドはそうした反目を乗り越え、代理人である自分を通して「みんな神と契約し

ようぜ！」と唱えることで、新しい共同体を作った。それこそがイスラームの意義だと、井筒さんは見ていたわけです。

**與那覇**：地域を問わず、最初は『ロミオとジュリエット』や『ゴッドファーザー』みたいな世界があるわけですよね。生まれた親族集団の掟《おきて》が絶対で、それに従って生きるしかない。しかしそのままだと、どんぐりの背比べ的に小集団どうしが抗争しあって、お互い潰しあうだけになるから、文明としては発展しない。

## ❖日本とイスラームが対極で、中国は真ん中

**與那覇**：だとすると、そうした部族主義を「超える原理」をどのように見出すか。そこに各文明の個性が出ると考えるのがよさそうです。西アジアでは、血縁に関係なく「コーランの掟を守る」と全員が約束しあう形で、イスラーム文明が生まれた。

中国はちょっと複雑で、「儒教文明」があったとは呼べるものの、血縁原理をゼロにしたわけではない。むしろ宗族という「父方の血縁がつながっている、きわめて広い範囲の

親族ネットワーク」を作り出して、その内部での相互扶助を前提に社会を回してゆくことになる。宗族の形成が進むのは宋朝以降ですね。

**呉座**：第1章でも触れたように、宗族の形成は科挙制度の確立と一体なわけですよね。宗族を挙げて一族の中の秀才を支援して、科挙に合格させるという。

そして第2章で論じたとおり、宋朝以降の中国近世はきわめて「新自由主義的」な社会だったので、宗族の形成とは過酷なメリトクラシーから身を護《まも》るための、セーフティ・ネットだったとも言えます。

**與那覇**：ここで気になるのは、やはり日本との対照です。日本文明のコアは「イエ」で、まさに親族原理。しかし『戦争の日本中世史』で呉座さんが描いたように、不思議と日本では、イエどうしの武力紛争が自ずと止まってしまう。イスラームのような親族を超える思想を持たなくても、「なんとなく」停戦になるわけです。室町時代がその典型。

もちろんイエも能力主義には適応しないといけませんが、第1章で見た落合恵美子さんの論のとおり、日本の家制度は「血縁原理」としてはもともと弱い。中国・朝鮮では父方の血縁がつながる親族からしか養子をとれないのに、日本は（婿養子も含めて）優秀な人を誰でも迎えられる。

つまりイスラームも中国も、小集団間の紛争を乗り越えて文明を築くために、なんらかの「巨大なもの」を創造する必要に迫《せま》られたのに対し、日本はイエ集団の規模を小さく維持したまま、ただしその「自由度・可変性」を高める形で文明化した。このあたりがユーラシアと日本の分岐点かなと感じますが、どうでしょう。

**呉座**：確かにそれは言えそうですね。一方でイスラームと中国の違いとして、後者は「儒教文明」と呼べるほど、本当に社会全体が儒学になじんでいたのかという問題がありま す。

中国社会の最上層は、科挙に合格するために儒教の規範を身につけますが、それは士大《したい》夫《ふ》と呼ばれる官僚・エリートに限った話ではないのかと。彼らに統治される側の民衆は識字率も低く、みんなが儒教の教えをなぞって暮らしたわけではない。

これに比べると生活上の規範までがコーランに書いてあり、いちおうはそれを守るイスラームは、よくも悪くも文字どおりに社会全体を覆う「共同体」を作っている感じがあります。もちろん信仰心が薄い人はいるでしょうが、彼らも「自分はムスリムだ」というアイデンティティは共有しているわけで。そもそもコーランとは何かを「知らない」みたいなことはさすがにない。

**與那覇**：なるほど。『中国化する日本』では、日本と中国とは「180度逆の社会ですよ」という座標軸で考えたのですが、もっと「その先」があったと言えるのかもしれません。親族原理に基づく小集団を、強力な信仰の共同体で「完全に上書きし、統合しきった」のがイスラーム。正反対に、大きな原理を持たず、むしろ小集団の寄り合い所帯を維持したのが日本。儒教を社会の上層部にのみ浸透させ、それ以外とは父系血縁のネットワークで接続する中国は、いわば両者の中間形態だと。

## ❖ 西欧の啓蒙主義が「イスラーム世界」を生む逆説

**與那覇**：少し井筒さんの本を離れますが、イスラーム共同体の「一体性」とは、あくまでその宗教を信じる人が抱く「観念としては一体である」ということですね。歴史上のイスラームの王朝は複数のものが並立しており（次ページ・図5）、世界中のすべてのムスリムが「ひとつの統治機構」に属した史実は（最初期を除き）ない。

**呉座**：ええ。イスラーム原理主義と呼ばれるのは、そうした観念上の一体性を「現実のものにしたい」とする思想や運動と捉えると、わかりやすい。居住する世俗の国家ごとに分かれた法律に従うのをやめて、世界のムスリムの全員が、コーランのみに従って生活する巨大な「イスラーム共同体」を本気で作るべきだと。なので第1章でも指摘したように、この思想ないし運動には領域的な限界がありません。

理念としては「あることになっている」が、現実にはどれも部分的な形の共同体しか存在しない。その状態で妥協して折りあいをつけていくのか、あくまでも完全なる理念の「現実化」をめざすのかで、イスラームはセクトが分かれていく感じなのでしょう。

**與那覇**：興味深いのは近年、西アジア史の研究者からも「イスラーム世界」といった表記には慎重であるべきとする主張が出てきています。そうした概念は、あたかも原理主義的なムスリムが主張する共同体が「実際にある」かのように誤解させることに加えて、歴史

## 図5　東西に存在したイスラーム王朝

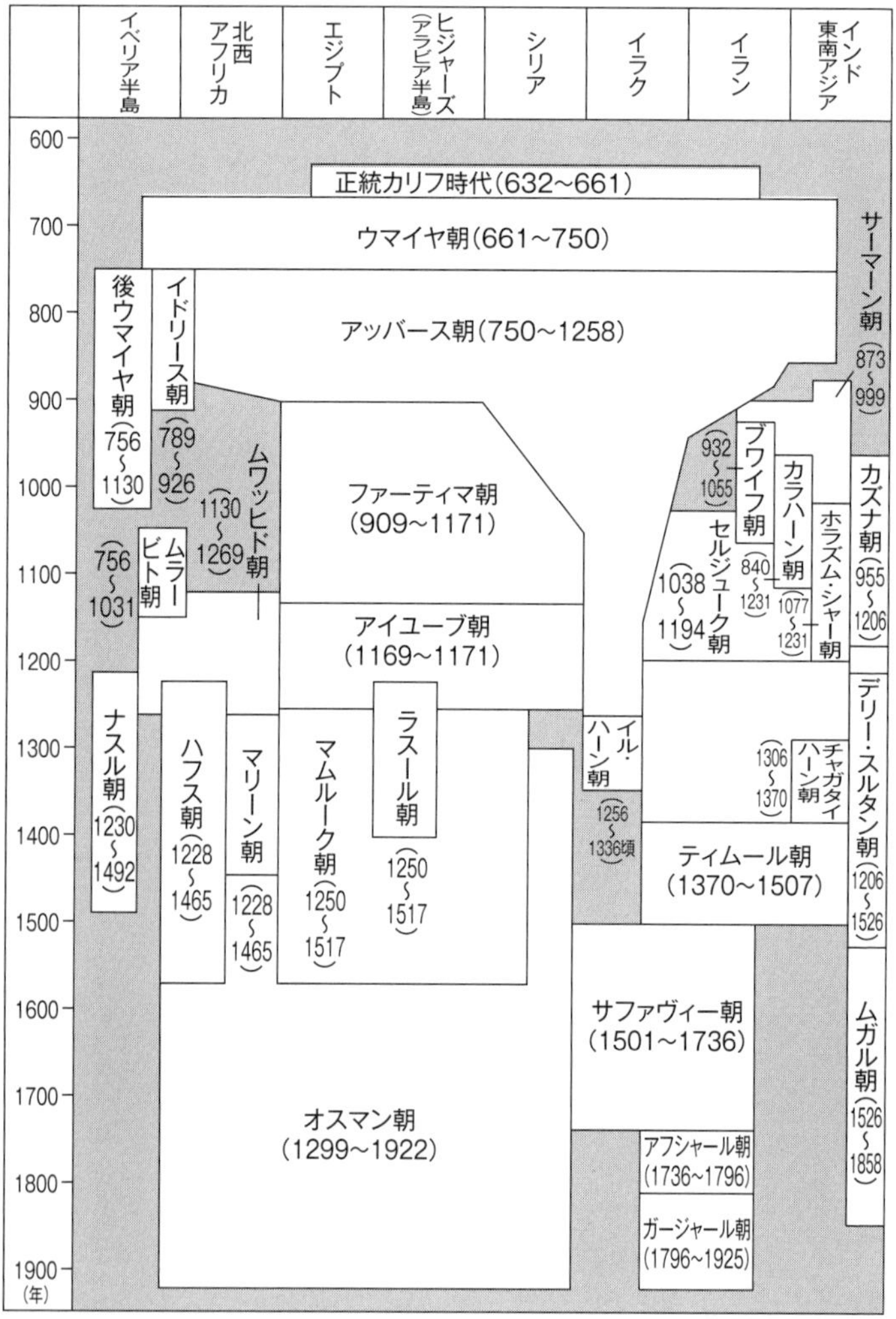
イベリア半島
北西アフリカ
エジプト
ヒジャーズ（アラビア半島）
シリア
イラク
イラン
インド東南アジア
600
700
800
900
1000
1100
1200
1300
1400
1500
1600
1700
1800
1900
(年)
正統カリフ時代（632～661）
ウマイヤ朝（661～750）
アッバース朝（750～1258）
後ウマイヤ朝（756～1130）
イドリース朝（789～926）
ムワッヒド朝（1130～1269）
ムラービト朝（756～1031）
ファーティマ朝（909～1171）
アイユーブ朝（1169～1171）
サーマーン朝（873～999）
ブワイフ朝（932～1055）
カラハーン朝（840～1231）
セルジューク朝（1038～1194）
ホラズム・シャー朝（1077～1231）
カズナ朝（955～1206）
デリー・スルタン朝（1206～1526）
ナスル朝（1230～1492）
ハフス朝（1228～1465）
マリーン朝（1228～1465）
マムルーク朝（1250～1517）
ラスール朝（1250～1517）
イル・ハーン朝（1256～1336頃）
チャガタイ・ハーン朝（1306～1370）
ティムール朝（1370～1507）
サファヴィー朝（1501～1736）
ムガル朝（1526～1858）
オスマン朝（1299～1922）
アフシャール朝（1736～1796）
ガージャール朝（1796～1925）

出所：小杉泰『イスラーム帝国のジハード』講談社学術文庫

を振り返ると政治的に微妙な問題もあると。

羽田正《まさし》先生の『〈イスラーム世界〉とは何か』（講談社学術文庫）によると、18世紀までの地理書や旅行記に存在したのは「アラブ」「ペルシア」「トルコ」といった区分で、それらを包括して「イスラーム世界」と呼ぶ語法はなかった。宗教の名を冠して丸ごと「イスラーム世界」に括る発想は、フランス革命以降にヨーロッパの知識人が、むしろ世俗化を肯定し宗教を批判する文脈で言い出したものだという。

彼らの考えでは、欧州の発展が遅れたのは、中世に「非科学的なキリスト教」が幅を利かせたせいだった。だから同じように、宗教が近代化を阻害している「イスラーム世界」はかわいそうだねと、そういう趣旨で使われ始めた地域区分なんですね。これをアフガーニーらの汎《パン》イスラーム主義者が逆用し、「だったらイスラームに基づき連帯して、西洋の植民地主義に対抗しよう」と唱えることで、ムスリムの側にも受容されていったらしい。

## ❖改宗を強制しないのは「寛大」なのか？

**呉座**：皮肉な逆説があるわけですね。またイスラームの諸王朝の実態として、支配した地域をすべてイスラームへの強制的改宗で塗り替えたのかというと、「そうでもない」という指摘が歴史学からは多くなされてきました。

代表的な業績は1992年に刊行された鈴木董《ただし》『オスマン帝国』(講談社現代新書)で、副題の「柔らかい専制」というフレーズが画期的でした。オスマン帝国は啓典《けいてん》の民《たみ》、つまり「同じ神様」を信じていることになっているユダヤ教徒・キリスト教徒には自治を認めたし、またイスラームを信じるかぎりで民族の違いも気にしなかった。

だから専制ではあってもその統治は柔軟で、中東のように多民族・多宗教がモザイクをなす地域を治める上では、近代ヨーロッパ型の国民国家より優れていた面があったと(図6)。前章で採り上げた宮崎市定の語彙を借りれば、広く浅く統治する分、住民に対する同化への圧力は弱い「東洋の国民主義」の西アジア版になります。

**與那覇**:忘れられて久しいですが、冷戦終焉と9・11テロに挟まる1990年代は、歴史学でも「帝国再評価」の時代だったんですよね。

連邦制が崩壊したユーゴスラビアで内戦が続く一方、ECからEUへの転換はうまく行くように見えたので、ナショナリズムに引き裂かれてバラバラになる前の「前近代の多民

図6　1700年頃のイスラム諸王朝の勢力図

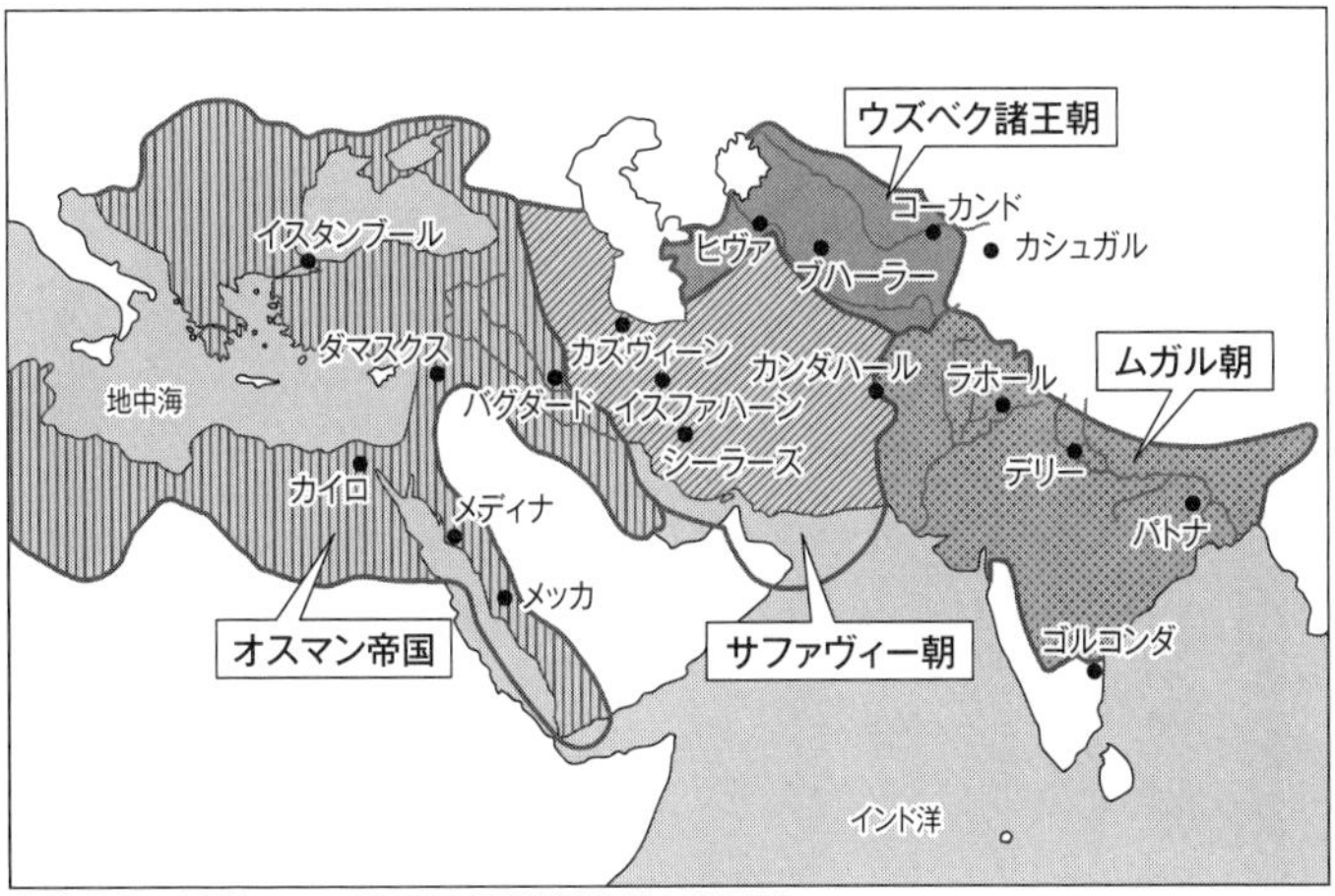


出所：森本一夫編『ペルシア語が結んだ世界』北海道大学出版会

族帝国」の政体には、学べる遺産が実はあるのではないかと。東洋史でなく西洋史でも、たとえば98年に『よみがえる帝国』（野田宣雄編、ミネルヴァ書房）という論集が編まれたりしました。２００１年以降は、テロとの戦争がアメリカの「帝国主義だ」とする批判が高まって、帝国のイメージはまた悪くなるんですけど。

近日の日本の出版界では「イスラームは本当は残酷だ」式のヘイト本が目立ちますが、これはリベラルな民族統合のモデルが（オスマン朝も含めた）歴史上の帝国に仮託された、かつての研究潮流への反動なわけです。とはいえイスラームの諸王朝が、そこまで理想の統治をしていたのかは検討する余地があって、その点で井筒さんの130ページの記述は面白いというか……。

**呉座**：そこは私も目から鱗《うろこ》でした（笑）。啓典の民がジズヤ（人頭税）を払うなら、イスラームは信教の自由を許したわけですが、井筒さんはそれを宗教的な寛容というよりも、むしろ帝国の財源として捉えている。

**「啓典の民」を強制してイスラーム教徒に改宗させてしまえば、人頭税を徴収することができなくなってしまう。イスラームを信奉しない「啓典の民」から入ってくる税金こそ、形成途上にあった「サラセン帝国」（アッバース朝ほか）の国庫の最大の財源だった。**

国際ニュースで流れるハマスやヒズボラのテロに起因する、イスラームへの嫌悪感ないし共感がそのまま、歴史的な評価にまで直結する現状は好ましくない。その点、誰よりもイスラームが「好き」だった井筒さんが、寛容さの裏にはリアリズムもあったよと冷静に位置づけていたのは、いま見習うべきスタンスのように思えます。

## ❖「絶対他力《たりき》」とプロテスタンティズムの類似

**與那覇**：『中国化する日本』では井筒ではなく宮崎市定を使って、少しだけイスラームにも触れました。そこで紹介したのは宮崎の「西アジアこそが歴史の最先端地域であり、イスラーム勃興はプロテスタンティズムの先駆けだ」とする学説です。

まずムハンマドが7世紀にアッラーという純化された神を掲げて、メッカにおける多神教の偶像崇拝を否定した。同じことが東アジアでは12世紀、朱熹が朱子学を打ち立て、混じり気のない「ほんものの儒教」を再興するという形で起こる。カトリックの儀式を虚礼として排撃し、「真のキリスト教」に帰るとうたった16世紀のルターやカルヴァンは、最も遅れてそれらをなぞったに過ぎないと。

そうした目で見ると気になるのは、井筒は62ページで、イスラームの本質は信徒に「絶対他力信仰的な態度」を求めることだと言っていますね。講演の聴衆には予備知識がないことを前提に、あえて仏教の語彙に喩えたのだと思いますが……。

**呉座**：でしょうね。他力本願とは「他人に頼るばかりのダメな態度」だと誤解されがちですが、本来は阿弥陀如来《あみだにょらい》の本願（信じる者すべてを極楽浄土に導くという誓い）による救済を求めるという趣旨です。自分の力で自分を救えるとする発想は、人間の思い上がりに過ぎない。人を救う力を持つのは仏だけであり、われわれはそれにすがるしかない「無力な存在だ」と自覚せよと。浄土真宗を開いた親鸞《しんらん》の教えはこの他力本願を突き詰めたもので、「絶対他力」と呼ばれます。

明治以来、浄土真宗をはじめとする、いわゆる「鎌倉新仏教」を「日本におけるプロテスタンティズム」と見なす議論は少なくありませんでした（原勝郎「東西の宗教改革」１９１１年など）。西洋を発展のモデルとした近代の日本では、自国史の中に西洋的な要素を見出す傾向が顕著だったからです。前章でも見たように、宮崎市定の世界史論は意外に同時代の標準的な学説を踏まえているので、おそらく影響はあったものと思います。

**與那覇**：プロテスタンティズムの歴史的な意義に関して、最も著名なのはマックス・ウェーバーの説ですね。いわく、「神の絶対化」の極点に立つカルヴァン主義は、世俗での商取引にも「倹約しつつ勤勉に行うことを通じて、神への信仰を確認する意義があるのだ」

郵便はがき

料金受取人払郵便

牛込局承認

9026

差出有効期間
2025年 8 月
19日まで
切手はいりません

1 6 2-8 7 9 0

東京都新宿区矢来町114番地
神楽坂高橋ビル5F

株式会社ビジネス社

愛読者係 行

| | | |
|---|---|---|
| ご住所 〒<br><br>TEL: ( ) FAX: ( ) | | |
| フリガナ<br>お名前 | 年齢 | 性別<br>男・女 |
| ご職業 | メールアドレスまたはFAX<br><br>メールまたはFAXによる新刊案内をご希望の方は、ご記入下さい。 | |
| お買い上げ日・書店名<br>年 月 日 | 市区<br>町村 | 書店 |

ご購読ありがとうございました。今後の出版企画の参考に
致したいと存じますので、ぜひご意見をお聞かせください。

# 書籍名

お買い求めの動機

1　書店で見て　　2　新聞広告（紙名　　　　　　　　　）

3　書評・新刊紹介（掲載紙名　　　　　　　　　　　　）

4　知人・同僚のすすめ　　5　上司、先生のすすめ　　6　その他

本書の装幀（カバー），デザインなどに関するご感想

1　洒落ていた　　2　めだっていた　　3　タイトルがよい

4　まあまあ　　5　よくない　　6　その他(　　　　　　　　　)

本書の定価についてご意見をお聞かせください

1　高い　　2　安い　　3　手ごろ　　4　その他(　　　　　　　　　)

本書についてご意見をお聞かせください

どんな出版をご希望ですか（著者、テーマなど）

と説いた。
ところがこれは裏を返すと、もし信仰の内実が「合理的に生活しましょう」という程度のものなら、単に経済的な効率性に従って暮らせばよいだけで、神様とか要らないじゃんと（笑）。そうした逆転が起きて、キリスト教世界は資本主義社会に移行したという。

## ❖江戸時代はコーランと逆の「聖俗一致」

**與那覇**：ここで気になるのは、イスラームを商人の宗教と見なす井筒も、28ページでその特徴を「宗教も神を相手方とする取引関係、商売」として捉え、だからコーランは「善行に励むことを……人間が神に金を貸すこととして表象する」と述べています。しかしイスラーム圏では、欧米では生じた世俗原理への一元化（＝神の放棄）が起こらない。この違いはどう捉えたらいいのでしょうか。

**呉座**：世界史上の難題ですが、「しかし」ではなく「だから」なのかなという気がします。イスラームでは聖俗が一致しているので、たとえ神との関係が経済的に合理化されても

「矛盾」とは感じられず、ナチュラルに受けとめられる。「普通に暮らす」ことのすべてが宗教的な行為だと思われているなら、「神様なしで、商売だけやってもいいじゃん？」と聞かれても、「いやいや、神様は現にいるでしょう」としか答えようがない。

先に日本はイスラームと「完全に逆だ」という話題が出ましたが、ここでも同じことが言える気がしますね。近世以降の日本人にとって、仏教の寺院は「冠婚葬祭の式場」に過ぎず、むしろ世俗的な場所でしょう。特に江戸時代は人別帳《にんべつちょう》（現代で言うところの戸籍）を寺が管理したため、地元のお寺に顔を出すのは「市役所に行く」体験に近く、さほど宗教的な意味はなかった。

**與那覇**：なるほど。私たちには「世俗の行為」に見える商取引でも、イスラームの人たちは「聖なる行為」として実践する。それは葬式を出す際のお坊さんとのつきあいが、多くの日本人には単なる「事務手続き」としか感じられないのとちょうど逆だと。

イスラームがすべてを「聖」と捉える方向での聖俗一致化を果たしたのとは正反対に、日本では「俗」に一元化する形での聖俗一致が起きたと。そうした構図で捉えると、色んな見通しがよくなりますね。たとえば近日の（旧）統一教会バッシングにしても……。

**呉座**：新興宗教に限らず、日本では特定の信仰に熱心になった時点で変わり者扱いされますよね。ワイドショーで統一教会批判が盛り上がったのは、信者の家族との頻繁《ひんぱん》なトラブルや安倍元首相の射殺事件（２０２２年）との関連だけではなく、日本人の宗教アレルギーが根底にあります。

しかし海外では「私は特定の宗教を信じていません」と表明したら、むしろ奇異の目で見られることが多い。そうした人は無神論者、つまりは信仰も道徳も無価値だと見なすニヒリストだという風に扱われがちです。そのくらい「世俗の論理だけで生活する」近世以降の日本人は、世界史的に特殊な存在なのでしょうね。

## ❖宗教の牙《きば》を抜く禅《ぜん》宗の「通俗道徳」

**與那覇**：日本がイスラームと180度逆の社会になった理由を探る上で、「鎌倉新仏教が日本版のプロテスタンティズムだ」とする視点は、意外に有益かもしれません。そうした議論の最新版として、経済学者の寺西重郎《じゅうろう》さんが２０１８年に書いた『日本型資本主義』（中公新書）という本があります。

日本の資本主義の特徴として指摘されるのは、小集団の分厚さですね。プラットフォーム的なメガ大企業を作らずに、長期的な雇用や取引関係を重んじて、マーケットでも中小企業が住み分けてゆく。そうしたあり方は、鎌倉時代以降に仏教がプロテスタンティズムの役割を担ったがゆえの産物だとする主張です。

**呉座**：うーん、それは正直、すぐにはピンと来ません。日本史学では、江戸時代にイエごとの家業が定められ、そこに勤倹を説く石門《せきもん》心学などの町人思想（通俗道徳）が乗っかることで、自営業的な小経営を基礎とする資本主義のコースが定まったと考えます。

そうではなく、鎌倉新仏教がルーツというのは……。

**與那覇**：僕も全体としては、同書の議論は無理があると思う。ですが一点、宗教から日本を捉える上で大事な指摘があるんですよ。

寺西さんいわく、西洋でも日本でも最初は多神教的で、人間らしく俗っぽい神様が信じられていた（ギリシア神話や日本神話）。そこに絶対者と呼ぶべき強力な神が伝来し、「この世は仮の場所に過ぎないから、あの世でこそ救われろ」と命令する（キリスト教や大乗仏教）。

しかし現世のあいだはただ我慢しろというのも酷《こく》なので、やがて宗教は「いまの世の中をどう改めてゆくか」を説くべきだとする運動が起きる。まさにプロテスト（抗議）のための宗教改革ですが、日本版のプロテスタンティズムだった鎌倉新仏教の特徴は、寺西さんの見立てでは「易行化《いぎょうか》」にあると。

室町期に定着した禅宗（特に臨済宗）の信徒はほとんど武士で、つきあいが限られ境遇も似た人どうしだった。なので、どうすれば救済を得られるかを説く際に「互いに礼儀を尽くしましょう」みたいな、妙に狭くて簡単な話に行った（笑）。これが結果的に、身近な他者への気配りを大事にする小経営のモラルを育てたと。

ところがラディカルすぎた「絶対他力」の浄土真宗は、身分や地域を超えて広範な人々を共同体に組織しようとし（一向一揆）、無理がたたって戦国大名に弾圧された。いわば日本文明が「イスラーム型」にならなかった理由を、鎌倉新仏教の諸派の命運から探る提言としても読めるわけです。

**呉座**：なるほど。禅宗を信仰すると通俗道徳的になるというのは、そうかもしれません。禅宗の特徴は、「生活のすべてが修行である」という点で、そこはイスラームに通じる面もある。「旧仏教」と呼ばれる従来の仏教では仏道修行と日常生活を切り離していたのを、禅宗は掃除《そうじ》や料理であっても、一生懸命やることで修行になると説きました。

**與那覇**：その日その日をよりよく過ごせば、それが仏道になるんだということですよね。それもある意味では聖俗一致だけど、しかし「神の力で聖なる共同体を地上に！」といった彼岸《ひがん》への信仰は薄れて、現世利益《りやく》がすべてになっている。

## ❖「鎌倉新仏教」の虚像と現実

**呉座**：しかし「易行」を説いた、鎌倉新仏教のすべてが通俗道徳だったとは言えません。たとえば法然《ほうねん》（浄土宗）が説いた「専修《せんじゅ》念仏」は、仏教の究極の易行化です。阿弥陀如来による救済を信じて念仏を称《とな》えるだけで極楽に行けるので、仏典の研究や座禅などの修行、さらには寺への献金も「しなくていい」。

それどころか、「周りの人には親切に」「一日一善」といった通俗道徳すらも不要になるんです。善行を積むことで極楽往生しようとする人は「自力」、すなわち自助努力による救済をめざしている。言い換えるとそれは、すべてを救済する阿弥陀仏の本願を信じていない行いで、むしろ信心が薄いということになる。

**與那覇**：言われてみて思うのは、マルクス主義をはじめとする左翼思想でも、主流派は組合活動や選挙の応援を通じて、「自力」で左派政権を作ろうと努力しますよね。

対する傍流として「そんなことをしたって、既存の政治制度に絡めとられるだけだから意味がない。むしろアナーキズム（無政府主義）を掲げ、いまある国家体制が死滅する日を待つべきだ」といったグループがありますが、単なる現状肯定とどう違うのか傍目《はため》にはわからない（苦笑）。自力を否定するだけだと、最後はそうなってしまう気も……。

**呉座**：言い得て妙な比喩かもしれない（笑）。実際に親鸞の浄土真宗は、師の法然よりもさらにラディカルな信仰として出発しました。阿弥陀による救済を信じた時点で極楽往生は決定するので（平生業成《へいぜいごうじょう》）、なんと毎日念仏を称える必要すらない。絶対他力、つまり一切の自力を否定する教義に従うと、修行や献金は有害無益である。

実は日本中世史の学界ではもう、「鎌倉新仏教」という呼び方をしないんです。急進的すぎる教えのために親鸞や、異なる系統ですが日蓮《にちれん》の教団は弱体で、鎌倉時代にはほとんど力を持たない新興のカルトでした。浄土真宗や日蓮宗が社会的な影響力を持ち始めるのは戦国時代で、そのためこれらの宗派を「戦国仏教」と呼ぶ研究者もいます。

**與那覇**：鎌倉時代の親鸞や日蓮は、井筒さん風にいうと「メッカ期」のムハンマドだったわけですね。偶像を拝むやつらは邪教で、俺だけが真の神を見たのだと叫んでいるけど、社会の側からは「お前が邪教だろ」としかまだ思われていない。

## ❖浄土真宗はイスラームになりそこねた？

**與那覇**：逆にいうと鎌倉期にルーツを持つ、彼ら新しい高僧たちの教えがなぜそのまま広まって、日本ではイスラーム型の文明を作らなかったのか。そのヒントは、室町以降の「メディナ期」にありそうな気がしますが。

**呉座**：そのとおりで、浄土真宗の場合は15世紀に本願寺の法主となった蓮如《れんにょ》の役割が大きいんです。それまで本願寺教団は浄土真宗の中でも弱体で、親鸞の弟子が作った他の宗派が力を持っていました。しかし蓮如の力で本願寺は勢力を拡大し、ついには日本の仏教として最大の宗派になった。その要因の一つは、彼が行った教義の革新にあります。

絶対他力の思想の弱点は、字義どおりに守ると「信じるだけで無条件に極楽に行ける」ことになる点です。救済思想としてはまさに、至高の仏を想定しているわけですが、他の宗派から「盗みや殺しをした人も、そのまま極楽に行くのか？」と問われると弱い。

**與那覇**：それはそうですよね。絶対他力と言っても、イスラームならコーランそのものに代表される「宗教法」を持ちますが、仏教ではそうも行かなそうだし。

**呉座**：さらには献金も不要だと説くのでお金も集まらないし、信徒を動員して事業を起こすことも難しい。まさに「メッカ期」のムハンマドの教えと同じで、仏（神）と個々の信者との一対一の実存主義的な関係を重視するから、そもそも教団を組織する必要さえないということにもなりかねません。だからこそ、本願寺教団は当初弱体でした。

蓮如がうまかったのは、そこでこう説いたわけです。「確かに阿弥陀如来は、なにもしなくても信じる者を救ってくださる。しかし門徒として考えてみてほしい。そこまで慈悲深い阿弥陀の偉大さに触れたとき、君はその義務はないのだとしても、むしろ自発的に『ありがたいお方だ。恩返しがしたいなぁ』という気持ちにならないかい？」と。

そして、恩返しとは具体的に何をするのかというと、要は本願寺教団への奉仕なわけです（笑）。そうした阿弥陀への報恩として行う本願寺への奉仕を「報謝行《ほうしゃぎょう》」と呼びます（金龍静『一向一揆論』吉川弘文館）。この報謝行を大々的に展開することで——うがった見方をすれば、親鸞が説いたラディカルな教義を半ば捨てることで、本願寺教団は戦国期に急速に勢力を拡大します。

**與那覇**：おそらくそこが、日本宗教史の全体にとっても分岐点ですよね（笑）。

プロテスタンティズムは神の絶対化を通じて、俗世の現状を相対化する思想なのに、日本ではかえって仏様の方が「俗っぽく人間化」されてしまう。ここまで恩をかけてあげたんだから、返してほしいなみたいに。そうすると、既存の親族集団（イエ）に基づく秩序を解体するようなエネルギーは、宗教から出てこなくなる。

**呉座**：そうなんです。日本では既存の秩序を脅かしかねない、一見すると危険な新宗教が出てきても、徐々に牙を抜かれて最後は結局、現世利益のためには「周りに感じよくしましょう」といった通俗道徳に落ち着く。実際に本願寺も織田信長に降伏してからは、世俗の権力に対して徹底して従順になり、近世以降にますます檀家《だんか》を増やすことになります。

## ムハンマドのメッカ帰還は「究極の徳政令」

**呉座**：日本中世とイスラームの対比は、予想以上に得るところが大きいですね。実は、蓮如は門徒に「年貢は領主に納めなさい」とも説いています。浄土真宗がめざすのはあくまで彼岸での救済で、此岸《しがん》（つまり現世）では既存の法秩序を守って暮らすべきだと。

しかし教団の末端には納得しない過激派がいて、一向一揆とはそうしたグループの作る「解放区」のようなものです。もちろん彼らは領主に年貢を納めないので、大名から弾圧されるし、本願寺も世間体が悪くなる。だからこそ蓮如は何通も「年貢はちゃんと払ってくれ」と門徒を説得する書簡（御文《おふみ》）を出して、それが残っているわけです。
今日でいうと穏健なイスラームの指導者と、原理主義的なテロ組織との関係と同じですね。ムスリムでも多くの信者は「国の法律は守らないと」と思っているのに、本気で「コーラン以外のルールには従わないぞ！」と武器を手にする面々がいて、どうしても後者がイスラームのイメージを作ってしまう。

**與那覇**：なるほど。僕が井筒さんの本と併読して面白かったのは、佐藤弘夫さんの『鎌倉仏教』（ちくま学芸文庫）でした。意識的に、鎌倉新仏教のうち「ラディカルな部分」にスポットを当てて書かれている分、イスラームと重なるモチーフがよく出てきます。
中世の日本では公家や武士の他に、寺社が保有する荘園もありましたね。そこでは納税という世俗の行為が、まさしく宗教的な意味を持っていて、仏様を信じるからこそ作物を納める。逆にいうと「こんなご利益のない仏なら信じるのをやめた。別の宗派に移る」と宣言すれば、税を払う理由がなくなる。激しい教義ゆえにカルトと見なされた、鎌倉時代の新仏教には、そうした抵抗の方便という性格もあった。

**呉座**：寺社の側は「お前たちが納めた年貢は、仏様のために使われるのだ。だから年貢を納めないなら、仏罰が落ちて地獄行きだぞ」と百姓を脅してきたわけです。ところが、もし念仏を唱えるだけで極楽に行けるなら、年貢を納めなくても怖くない。これが、初期の浄土真宗が「危険思想」として弾圧された理由です。

**與那覇**：ここで井筒さんの本の119ページに戻ると、メディナからメッカに凱旋《がいせん》し現地の偶像を打ち壊した際の、ムハンマドの宣言が載っている。イスラームの勝利によって「一切の貸借関係も、その他諸般の権利義務も、いまやまったく清算されたのである」と。思わず呉座さんの最初の専門である徳政一揆を連想したのですが、いかがですか。

**呉座**：ありがとうございます。共通点と相違点の両面があって、たとえば戦国時代にある大名がよその大名の領地に攻め込んで、奪い取りますよね。多くはそのタイミングで「前の領主からの借金は、全部チャラでよいぞ」と徳政令を出す。その土地をさらに別の大名が分捕ったら、また徳政令を出して……と何度も繰り返すわけです。

これに対してイスラームでは「一度きりの決定的な転換」が、ムハンマドの勝利によってなされた、という形になっている。そこは「世俗の統治者の盛衰」に応じたローカル・リセットしか起きない、日本の徳政思想とは明らかに違うところですね。それが一神教であることに起因するのかは、容易に決められませんが。

## ❖宗教の相互扶助で食べてゆけるムスリム

**與那覇**：納得です。他に、佐藤さんの鎌倉仏教史をイスラームと比べて興味深いのは、「勧進《かんじん》」と「選択《せんちゃく》」でした。

鎌倉新仏教が生まれた最大の契機として、平安時代の半ばから寺院に対する国の保護が薄れ、勧進に頼り出したことが挙げられます。元は親方日の丸だったお寺が、クラウド・ファンディングで食べ始めたわけですが、信者から寄付金を募っているくせに、救済されるのは「学問と修行を究めた高僧だけです」はないだろうと。そうした怒りを背景に、法然や親鸞が専修念仏を唱え、救済の易行化が進んでいった。

もうひとつの選択とは、「正しい教えだけを選び、他は攻撃する」態度のことですね。指導者が行きすぎを抑えようとしても、末端の信徒は「念仏だけで救われるはずなのに、金を要求する他の宗派は詐欺だ」と盛り上がって、暴力も辞さない。特に浄土真宗は阿弥陀如来だけを絶対視する点で「一神教的」でもあったし、そうした原理主義を思わせる情勢も、中世の日本にはあったわけですよね。

**呉座**：実際に『蓮如上人《しょうにん》御一代記聞書』には、蓮如は本願寺にあった阿弥陀以外の本尊を「浄土真宗の教えにそむく」と言って焼き捨てさせたと書いてある。この行動はムハンマドがカーバ神殿の偶像を叩き壊したのにも似て、一神教的ですね。もっとも先に述べたとおり、蓮如は他の宗派には攻撃的でも、世俗の権力には妥協的でしたが。

勧進の問題とも重なりますが、中世は公権力を頼っても保護が期待できず、日本史上で最も国家のプレゼンスが低い時代でした。だから寺社を中心に、民間で助け合いのための貸付資金が作られお金を融通した。戦国期にさまざまな新興の宗派が台頭したのは、民衆が精神的な救済を求めたというだけでなく、現実的なセーフティ・ネットとして有効だったからです。それもまた、イスラームが「信者の相互扶助」としても機能する点と似ています。

完全に道が分かれたのは、宮崎市定の言うとおり「近世」でしょう。江戸時代の日本では公権力の存在感が回復し、宗教は牙を抜かれて、欧州の封建制と比べても静態的な秩序ができた。逆にユーラシアでは「柔らかい専制」の下で、宗教的なもの（イスラームや儒教）の力が温存され、波乱の要因として残っていった。

**與那覇**：2014年に「イスラーム国」とのつながりが報じられて日本を騒然とさせた、中田考《こう》さんという研究者がいますね。著書によると彼自身、原理主義的なイスラーム信仰を理由に、なんと国民健康保険への加入を拒否したという。私はイスラーム共同体の一員であり、ムスリムどうしで助けあって生きていくから、日本国のご厄介にはなりませんというわけです（『イスラーム　生と死と聖戦』集英社新書）。

必ずしもトンデモとは言えなくて、井筒俊彦もどうやってアラビア語を習得したかを晩年、司馬遼太郎との対談で語っています。戦前はソ連に迫害された中央アジアのトルコ系ムスリム（タタール人）が日本に亡命し、相互扶助のネットワークで生計を立てていた。そうした世界には「仲間が食わせてくれるから」といって、身一つで諸国を漫遊しながら定職に就かずに暮らす、ものすごい才能の学者も混じっている。つてを頼って彼らと知りあい、教えてもらったと（『司馬遼太郎の跫音《あしおと》』中公文庫）。

**呉座**：近世以降の日本人には、なかなか想像しがたいリアリティですよね。口コミでつながる信徒どうしの紐帯の方が、政府の公的な福祉よりも「頼りになる」と思われていて、実際にそれで暮らせてしまう。だからどこの国に住もうが関係ないというのは。

## ❖シーア派はイスラームの「本居宣長《もとおりのりなが》」

**與那覇**：いまもイスラームの信仰にそうした、世俗の法秩序を相対化する力があるのは間違いない。一方で井筒さんの本が後半で描くのは、イスラームの「法や秩序」もまた非主流派のセクトから批判され、絶えず相対化にさらされていると。具体的にはシーア派と、さらなる神秘主義としてのスーフィズムが分析されます。

**呉座**：明らかに井筒さんは主流派であるスンナ派よりも、シーア派や神秘主義に惹かれていますよね。筆致に共感が漏《も》れ出している（笑）。

コーランを基にイスラームが定める法の体系が「シャリーア」ですが、井筒説ではその遵守《じゅんしゅ》を説くのがスンナ派。逆に定まったシャリーアに、異議を申し立てるのがシーア派になります。

**與那覇**：ええ。シーア派は独自の技法でコーランを読み直し、「今までの解釈はおかしいのでは？」と主張する。最も極端なのは、182ページに登場する歴史上の最過激派（イスマーイール派）で、シャリーアに従う信仰は「外面主義」「生命のないぬけがら」に過ぎないと非難し、世俗の法はおろか宗教法も廃棄すべきと唱えたらしい。

しかし聖典とされてきたテキストを「再解釈」することで、長く続いた慣例を改めてゆくのは、世界のプロテスタンティズムに共通ですよね。第2章で言及したように儒教における朱熹の役割も「原点回帰」のための再解釈だし、キリスト教のルターやカルヴァンもそう。空疎な形式主義に陥るなら「法を作ること自体やめてしまえ」とうたう過激なシーア派は、単にそうした思考様式を突き詰めただけかもしれない。

**呉座**：ええ。井筒説から敷衍《ふえん》するなら、蓮如の浄土真宗が日本における「プロテスタンティズムのスンナ派」だとしたとき、シーア派に相当するのは本居宣長《もとおりのりなが》の国学かもしれません。

宣長は、従来の日本人は「『古事記』を正しく読んでこなかった」と宣言し、新しい読み方を示す形で自身の思想を説きましたが、これは井筒さんが186ページで紹介するシーア派の「タアウィール」を思わせます。「原初に引き戻す」という意味のアラビア語で、井筒の表現では「外面的意味から内面的意味に移る解釈学的操作」を通じて、聖典の文面に書かれてはいないが、これが真の意味だというものを引き出すと。

それが解釈者の恣意ではなく本当に「正しい読み」かは、信仰を共有しない人には正直わからない。たとえば宣長の有名な「もののあはれ」論は、『源氏物語』帚木《ははきぎ》巻の「雨夜の品定め」に出てくる「もののあはれ」の一節を、強引に普通の読みと正反対に解釈しています。この解釈を是とするのは、もはや宣長への信仰と言えます。

極論すれば、そうした手法は歴史ミステリー小説の『ダ・ヴィンチ・コード』（ダン・ブラウン著、角川文庫）みたいなもので、「古典に秘められた暗号を解読した！」とうたっているけど、第三者の目にはこじつけに映る（笑）。しかし、そうして読み出された思想がある種の原理主義として、西アジアでも日本でも歴史を大きく動かしました。

## ❖ホメイニーを支えたイランの「皇国史観」

**與那覇**：興味深いことに、井筒さんは75ページ以降でスンナ派とシーア派の相違を、アラブとペルシアの歴史意識に重ねています。アラブ的な歴史観は非連続的で、事件が起きる都度《つど》の「とぎれとぎれの連鎖」に過ぎない。だから一貫した因果律を求めたりしない。

一方で「イラン人（ペルシア人）の世界認識は存在の空間的、時間的連続性を特徴とします」。シーア派はその風土が育てたというわけです。つまりコーランも深読みし、文字に現れない次元で脈々と受け継がれた、真の神の意思を見出そうとするのだと。

**呉座**：そのあたりも江戸時代の後半に、水戸学などを通じて皇国論が生まれる過程を連想させます（片山杜秀《もりひで》『皇国史観』文春新書）。日本の庶民は通史的な自己イメージなんて持たずにきたのに、「いやいや。天皇への忠義を基軸にすれば、あらゆるエピソードを貫く物語が書けるはずだ！」と。

歴史上の出来事は一貫しており「すべてに理由があるはずだ」というのは思い込みで、

囚われすぎると偽史や陰謀史観になりがちです（拙著『陰謀の日本中世史』角川新書）。ただし「一貫性を見出したい」と願う欲求自体はリアルなもので、そうして描かれた歴史のイメージに合致するように、現実の方が書き換えられてしまうこともよく起きる。

**與那覇**：まさに重要な問題で、実は僕も井筒さんが描くシーア派の「イマーム」像には、ある種の天皇観との類似を感じていました。

スンナ派のイスラームが専業の聖職者（僧侶）を設けないのに対し、シーア派のイマームは宗教上の最高指導者になります。どういう理屈かというと、192ページにいわく「預言者とイマームとはもともと同じ一つの神的光明、神の光」だからであると。つまり一体としての神の光がまずあり、それがかつてはムハンマドという形で顕現したが、後にはイマームの姿をとっている。だから至高の権威がある。

今でも尊皇家の人に言わせると、天皇とはそもそも「個人」じゃないわけでしょう。太古以来、歴代の即位者を貫いて綿々と受け継がれる霊的な存在こそが「天皇」の本質で、令和ではそれがたまたま徳仁《なるひと》さんの身体に顕《あらわ》れているのだと考える。晩年の江藤淳などが、そうした天皇観にはまっていました（『天皇とその時代』文春学藝ライブラリー）。

**呉座**：言われてみると似ていますね。そうした思考の人は、個人としての天皇よりも代々受け継がれた「みたま」（御霊）の方を重視するから、いわゆる超保守の立場になる。平成に天皇（現上皇）が退位したいと表明しても、そんな「個人のわがまま」は認めないのが真の尊皇だ、みたいな。

中世史から例をとると日本の場合、もともとそうした思考はファナティックには展開せず、むしろ折衷主義の形をとってきたんです。典型は「本地垂迹説《ほんじすいじゃくせつ》」で、たとえば仏教でいう大日如来こそが本体ではあるけれど、日本ではこれまで天照《アマテラス》大神の姿として顕れていました、と説く。いわゆる神仏習合ですね。

近代に入って神仏分離（廃仏毀釈《きしゃく》）をやり、「純粋な」天皇信仰だけを取り出そうとした結果として、意外にも天皇観が「シーア派のイマーム」に似てきたのかもしれません。

**與那覇**：まさに第2章で議論した、原理主義の問題ですね。井筒さんの本に見出せる天皇との類似点はもうひとつあって、シーア派の根拠地であるイランでは古代ペルシア以来、世俗の王であるシャーの権威も強い。

205ページからの分析では、預言者に続いて歴代のイマームも「お隠れ」になったので、シャーがその不在を埋める「仮の代理主権者」を務めるものだと認識されて、折衷できている間は問題なかった。ところがシャー（パーレビ２世）が専横を極め、イスラームの本義を忘れたと見なされた結果、ホメイニーを担いで彼を取り除くイラン革命が起きる。われわれからするとこれって……。

**呉座**：幕末の「尊王攘夷《じょうい》」と同じ構図ですよね。将軍は天皇から大政を委任された代理人に過ぎず、幕府が天皇の攘夷の意志に逆らうのは許せないと。中世の間は日本もイスラームと重なる面があったのが、近世に180度逆のコースに入り、しかし近代化に際して意外な再接近を示す。そう言えるのかもしれません。

## ❖大川周明と天皇思想の危険な影

**呉座**：そもそも明治維新の「維新」とは、王朝自体を取り換える革命ではなく、「原点回帰」を通じて世の中を刷新するという意味です。だからいま風に言えば、王政復古のクーデターとは字義どおりの原理主義だったわけです。

55ページにあるようにイスラームもまた、先輩格であるユダヤ教やキリスト教が堕落したので、それらを「もとの本源的な姿に戻そう」という趣旨で出発しました。思考のパターンとしてなら、腐敗した幕府なる夾雑物《きょうざつ》を取り除き、「神武天皇の時代に帰る」と唱えてスタートした近代天皇制とも似通って見える点はある。

**與那覇**：実はここには、政治的に微妙な問題があるんです。戦前に、井筒をイスラーム（当時の呼び名は回教）の研究へと導いたのは大川周明でした。大川は世界的にも最高峰のイスラーム文献のコレクションを持っていて、井筒さんは自由に使わせてもらった。ここまでは本人が生前に司馬遼太郎との対談で明かしており、割に知られていました。

ところが先に触れた安藤礼二さんの井筒論によると、戦時中の大川の主著『回教概論』（1942年刊。現在はちくま学芸文庫）の大部分は、慶応の助手だった井筒がゴーストライターをしたらしい。井筒と親しかった編集者からの聞き取りに基づいているので、確度は高いと思います。

**呉座**：それはすごいな。もちろん大川周明は右翼で、欧米列強への対抗をめざす地政学的な観点からイスラームに注目しました。井筒さんもその下で研究を始めたら、意外にも当時の日本の政体と重なる形で、イスラームの姿が見えてきたのかもしれない。国家神道という呼び名が妥当かは議論があるものの、戦時下の日本がある種の「宗教国家」になっていたことは事実ですから。

**與那覇**：5・15、2・26といったクーデターも、いわば天皇を「イマーム」の地位に置く共同体を作ろう、そのために「シャー」（首相や元老）を除こうという話でしたからね。

第一地域の日本にも、実は第二地域に通じる伏流が潜《ひそ》んでおり、時代に応じて前面に出てくる。戦前の「天皇制国家」なる存在も、日本人がイスラームめいた聖俗一致の共同体を求める局面では、天皇が浮上せざるを得ない構造があるのだと。そうした歴史の産物として捉えないかぎり、本質がつかめないのではないでしょうか。

## ❖網野善彦の中世史がイスラーム理解のヒントに

**與那覇**：こうした視点で書かれた日本史というものは、まずないわけですよね。明治以来、歴史学者が自国史を探求する際の尺度は「ヨーロッパとはどこまで同じで、どこから違うか」でしたから。あるいは「中国・朝鮮と異なり近代化できた理由は」といった問題意識が限界で、まさかイスラームとの比較で考えようとは思わない（笑）。

しかしイスラームを参照はせずとも、天皇の理解において近いところまで行った日本史家は、やはり網野善彦《あみのよしひこ》でしょう。だからこそ彼自身の信じる「コミュニズム」の最大のライバルは、日本では天皇制以外にないことが見えていた。呉座さんはどう思われますか。

**呉座**：同感です。網野さんは日本の中世を舞台に、天皇の権威を背景にして移動や商業の自由を行使する「遍歴する非農業民」の姿を描きました。これはイスラーム共同体の内側ではコーランに則《のっと》って取引するかぎり、流動性の高い社会があっていいんだよと。井筒が描くそうしたイスラーム像の、日本版としても見ることができる。

しかしこの網野史観は、冷戦下の歴史学界では批判されました。当時のマルクス主義史学では永原慶二らが唱えた、天皇の存在を武家政権の「金冠」に過ぎないとして軽視する学説が主流派。中世の天皇は実権を失ったお飾《かざ》りでしかないのに、それが社会の底辺でも慕われ信仰の共同体を作っていたかのように論じる網野説は、「天皇を誇大に評価している、新たな皇国史観だぞ！」というわけです。

そうはいっても、もし本当にお飾りに過ぎないなら「なぜ廃止しなかったんですか」という疑問が残る。そこはやはり、日本の社会においてはそう簡単にはなくせない、ある種の宗教性が天皇にはあったと見るべきでしょう。

**與那覇**：そうした宗教性の存在を認めた上で、「それを克服すべきだ」というのが網野の立場でしたが、天皇制なんて単に「否定」すればよいとする他のマルクス主義史家から叩かれてしまった。それって今日の世界に照らすと、かなり問題のある態度ですよね。

たとえば中東の秩序をどう安定させるかを考える上で、内容を肯定するかは措《お》いて「ひとまず、イスラームの論理や世界観は把握すべきだよね」とする立場がある。それに対し、あんなものは全否定して爆弾を落とし、ひたすら西洋的な自由民主主義をゴリ押しすればいいと唱えるのは、ネオコンとかのかなりヤバい人たちであって（苦笑）。

**呉座**：まさにその構図ですね（笑）。そもそも前近代の封建制の蓄積が明治維新を可能にしたとする、梅棹忠夫やライシャワーらの「近代化論」を、冷戦下のマルクス主義史学は資本主義の肯定に過ぎないと論難していました。しかしその彼らにしても、中世・近世の日本を西欧に近い封建社会だと見なす点は同様だった。政治上のゴールが異なるだけで、歴史認識としての多元性は乏しかったとも言えます。

日本の近代にもし西洋にはない歪《ゆが》みがあったとしたら、その根源は封建制とは別のところに探すべきだったんですよね。その代表である天皇の問題から目を背けた結果、網野以外の日本史学はアクチュアリティを失ったのかもしれません。

**與那覇**：網野を悩ませた「天皇制の執拗《しつよう》な持続」は、むしろイスラームを鏡にすることでこそ、すっとわかるのかもしれませんね。ムハンマド没後の中東では諸王朝が勃興して争い、武力による権力者の交代が続きましたが、イスラーム自体を放棄する事態は起きなかった。まさに「どの幕府も朝廷を温存しました」と同じです。

それこそモンゴル帝国に占領された時期でも、逆に彼らの方をイスラームに改宗させてしまったりもした（イル・ハーン朝、1256〜1336年。改宗は95年）。宮崎市定が中国史に見出したのと同じ、「被征服者の方が、むしろ征服者を同化させる」力学ですが、天皇に関しては日本人にも覚えがあって……。

**呉座**：無条件降伏の後でマッカーサーが乗り込んできても、妙に昭和天皇を気に入っちゃって、天皇制は廃止されませんでした、みたいな（笑）。

逆にもしGHQが天皇制の全廃を命じ、在野の「反米主義者」が皇族を担いで占領軍と戦うといった展開になったら、日本の戦後は悲惨だったでしょう。それこそ米軍にテロを仕掛ける、今日のイスラーム原理主義のようになったかもしれない。

**與那覇**：実際に冷戦下のカンボジアでは、親米派に追放されたシアヌーク元国王が極左のポル・ポトに担がれた結果、血みどろの内戦になりました。「平和な第一地域」と「戦争の第二地域」の境界は、ちょっとした偶然やタイミングでゆれ動く曖昧《あいまい》なものだと見た方がいい。

梅棹忠夫は共産主義がイスラームの役割を肩代わりし、やがて駆逐すると予想しましたが、実際には後者が歴史的に培《つちか》った共同体の方が残って、今後も容易に欧米化を受け入れそうにない。無宗教な日本人には「なんで?」と見えるけど、だって天皇制だって滅びないでしょうと言われれば、むしろわかる気がしてくる。

そうした議論を触発してくれるのが、網野善彦の歴史観や井筒俊彦の哲学が持つ、本当の意味で「グローバル」な力なのでしょうね。

# 第4章

## 高坂正堯『文明が衰亡するとき』

### ――冷戦期から「トランプ」を予見したリアリズム

## 高坂正堯（こうさか・まさたか）　1934〜96年

国際政治学者、京都市出身。父親の正顕《まさあき》は西田幾多郎に学んだ哲学者で、戦前に京都帝国大学教授（戦後は一時、公職追放）。正堯も京都大学法学部教授として、リアリズムの立場を採る多くの保守系政治学者を育てた。『国際政治　恐怖と希望』（1966年）などの理論書のほか、歴史書や時評でも知られる。穏やかな関西弁の語り口はTVでも親しまれた。

使用テキスト＝『文明が衰亡するとき』新潮選書（改版）、2012年
原著は1981年刊。

## ❖いまも「現役」の国際政治学の遺産

**與那覇**：４冊目は高坂正堯（国際政治学）の『文明が衰亡するとき』（以下、『衰亡』）です。高坂さんは本書が採り上げる他の４名と比べても、いちばん「現役」の著者だという気がしますね。ご本人は亡くなっていても、研究者に限らずふつうのビジネスマンが政治や国際問題に興味を持ったとき、手に取る対象として生きている感があります。

**呉座**：そうですね。冷戦下の日本では学問分野を問わず、共産主義にシンパシーを持つか、東西陣営のあいだで「中立」を保つべきと考える姿勢が有力でした。その中で高坂さんは現実主義（リアリズム）の観点を強調し、一貫して日米同盟を重視する立場を打ち出した。冷戦の終焉後は、むしろそちらが「正解」だと広く認められるようになったので、いまも読まれやすいというのはあると思います。

もうひとつ大きいのは、多くの弟子を育てたことです。お父さんの高坂正顕も哲学の分野で「京都学派」と呼ばれましたが、次男の正堯も同じく京都大学の教授となり、やはり国際政治学における「京都学派」を作った。歴史の重視とリアリズムが特徴です。直接には教えを受けていない世代でも、論壇で軍事や外交を評論するタイプの学者さんには、高坂ファンは非常に多いですね。

もっとも近日は、実証史学ブームの社会科学版のような形での批判もあるようです。多湖淳《あつし》『戦争とは何か　国際政治学の挑戦』（中公新書）など、データや統計を重視するタイプの政治学者からは、歴史上の挿話に基づく高坂の時評が「床屋政談」に見える。どの分野も面倒くさいですね（苦笑）。

**與那覇**：専攻を問わず、先人に敬意を持たない風潮はよくないですね（笑）。国際政治学とは、国民戦争が繰り返された近代の体験をもとに欧米で発展した学問なので、自ずと西洋世界の歴史に軸足を置くところがある。その点では「東洋」から文明史を構想した梅棹・宮崎・井筒を、西から補《おぎな》う議論として読むこともできます。

高坂の主著の一つである『衰亡』は、1981年の刊行。ユニークな構成で、第一部で古代ローマ帝国、第二部で中世のヴェネツィア共和国を論じ、第三部が現代アメリカ論。さらに結論部では駆け足ながら、近世のオランダと戦後の日本が対照されて幕を閉じます。

**呉座**：当時もいまも歴史学者だと、なかなかこういう本は書きにくいんですよね。お前の本当の専門とは「国も時代も違うだろ！」と、縄張り荒らし扱いされてしまって。そうした穴を高坂さんのような、社会科学を専攻しつつ「歴史も重んじる」タイプの学者が埋めてきた面はあったと思います。

また『衰亡』のうち、分量としてはアメリカ論が最も多くを占める。この点でもユーラシア史を素材とするここまでの3章の議論から、こぼれてきた部分を補ってくれそうです。

## ❖シュンペーターが見た「商人国家」の限界

**與那覇**：実は僕は、真ん中のヴェネツィア論をいちばん面白く読みました。というのも高坂は後年、別の場所で本書の成り立ちをポロッと喋《しゃべ》っているんですよ。

『衰亡』を読むかぎりだと、なぜ突然ヴェネツィアというマイナーな事例を選んだのかはわかりにくい。あとがきには「島国な点で日本と同じ」としか書いてないし（笑）、127ページの注にある塩野七生《ななみ》さんの影響かなとしか……。

**呉座**：塩野さんはイタリア在住の作家で、小説に留まらず「歴史の叡知《えいち》を語れる人」と見なされて影響力を持った点では、司馬遼太郎と双璧《そうへき》です。高坂さんが言及するのは1980年の『海の都の物語』（現在は新潮文庫）ですが、続編も刊行前に読ませてもらったと示唆しているように、論壇では互いに親しかったようですね。

92年から塩野さんが書き継いだ『ローマ人の物語』（新潮文庫）も、平成の前半を代表するロングセラーとして広く読まれました。しかし文明の衰亡を論じるとき、古代ローマは誰もが思いつく事例ですが、ヴェネツィアというのは確かに珍しい。

**與那覇**：僕もそこが気になったのですが、90年に高坂さんが行った講演が『歴史としての二十世紀』（新潮選書。以下『二十世紀』）として、昨年初めて活字になりました。同書を読んで「こういうことか」とやっとわかった。どうも高坂の着想には、塩野さんとの交流だけでなく、経済学者のシュンペーターの主張が絡んでいたらしい。

高坂いわく、シュンペーターは「近代のブルジョワジーは、政治階級としては失格だ」との旨《むね》を述べていた。ブルジョワはもともと商人なので、計算合理的に得なことはやり、損なことはしない。しかし政治の場合、一見不合理に見えてもやらなくてはいけないことがある。また人間には伝統や威信のような、合理性のないものにこそ権威を感じて従う面があり、それ抜きの「お得ですよ」だけで国民を引っ張るのは難しい。

こうした理由でシュンペーターは、「商人だけが作った共和国は歴史上、国際政治をうまく乗り切れなかった」と論じ、イタリアの都市国家やオランダを例に挙げたそうです。

**呉座**：なるほど。「イノベーション」の概念を提唱したシュンペーターの議論には、貴族趣味というか英雄主義的なところがあります。目先の小さな利益ばかりを追うと、利鞘《りざや》が縮小してジリ貧になってしまうので、大胆な決断で新たなビジネスモデルを生み出す挑戦者が、資本主義には必要だと。

**與那覇**：ええ。だから政治に関しても、封建貴族が権威と意思決定を受け持ち、ブルジョワはひたすら損得勘定《かんじょう》を回すあり方が実はいちばんよかったと。少なくとも高坂さんの見方では、シュンペーターはそう考えていたようです。

## ❖冷戦下で模索した「日本の立ち位置」

**與那覇**：ここで高坂の歩みを振り返ると、政治学者としての最大の業績は「吉田ドクトリン」という視点を打ち出したことですね。吉田茂は敗戦直後に総理大臣を務めた時期には人気もなく、エリート趣味の嫌なオヤジだと思われていた（苦笑）。しかし1967年に吉田が死去し、戦後初の国葬となったタイミングにあわせて、実は吉田の政治は非常にいいものだったと高坂は主張しました（翌年刊の『宰相　吉田茂』。現在は中公クラシックス）。

GHQの占領から独立する際、吉田は再軍備を求める米国の要求を拒否して「軽武装・経済重視」の路線を採った。だから冷戦の最前線に位置したにもかかわらず、日本は軍事費の負担に圧迫されず、高度成長を達成できたと。つまり戦後日本の成功は、政治家も含めて、商人的な合理性に徹したところから来ているというわけです。

しかしその後の70年代を経て、「本当に商人的なビジネスの発想だけで、これからも日本の政治は保《も》つのだろうか」と疑う気持ちが、高坂さんの中に出てきた。その迷いが81年の『衰亡』に、ヴェネツィア論の形で描かれていると感じたのですが、どうでしょう。

**呉座**：與那覇さんらしい読み方ですね。『中国化する日本』や『平成史』でも高坂に言及されていますが、高坂さんはもともとは「護憲派」なんですよね。つまり現実の問題として、冷戦下で日本が「中立政策」を採るのは東西陣営の草刈り場にされ、かえって戦争を招くだけだからあり得ない。日米同盟の抑止力で「西側に立つ」とはっきりさせた上で、しかし価値観としては、憲法九条の平和主義を残すべきだ。そう考えていました。

一般には、高坂がその立場を捨てて「改憲派」に転じるのは、1991年の湾岸戦争が契機だとされています。しかし、実はまだ冷戦が続いていた80年代から、本人の中に揺らぎが生まれていたというのは興味深い。

実際に本書が出た後、80年代を通じて高まるのは「日米貿易摩擦」でした。軍事的にはアメリカに守ってもらいつつ、ビジネスパートナーとしてやっていくつもりが、当の米国から「安い日本製品ばかり買わされて、こっちは迷惑だ」と嫌われるようになった。

1989年には石原慎太郎が盛田《もりた》昭夫（ソニー創業者）と出した『「NO」と言える日本』（光文社）がベストセラーになるなど、保守の側からのアメリカ批判や対米自立論が台頭してゆきます。高坂はそうした空気を先取りしつつ、まずはアメリカが超大国としての余裕を失った理由を、文明史的な衰亡論の形で探究した。

それを踏まえて、今後は「エコノミック・アニマル」として蔑《さげす》まれるのではなく、国際社会で名誉ある地位を占めるために、いかなる進路をとるべきかを考える。そうした「日本の立ち位置」を模索したのが本書だと思います。

## ❖ ヴェネツィアに投影された「吉田ドクトリン」

**與那覇**：そうした目で第二部から入ってゆくと、水路で有名なヴェネツィアは一種の人工島で、日本でいうと平安京ができた頃に建設が始まった。そこに築かれた共和国が11世紀から台頭し、13世紀の末から約200年間にわたり、地中海の覇権を握ったと高坂さんは位置づけます（図7）。つまり、ちょうど室町時代に重なるあたりが最盛期でした。

興味深いのは104ページで、今日のトルコ周辺を支配したビザンチン帝国（旧・東ローマ帝国）との関係に言及するでしょう。1000年頃、ヴェネツィアは名目上はビザンチン帝国を宗主国として仰《あお》ぐ代わりに、領域内での商業の自由と、寄港手数料の半減などの交

**図7　16世紀、新興国の挑戦を受けるヴェネツィア**

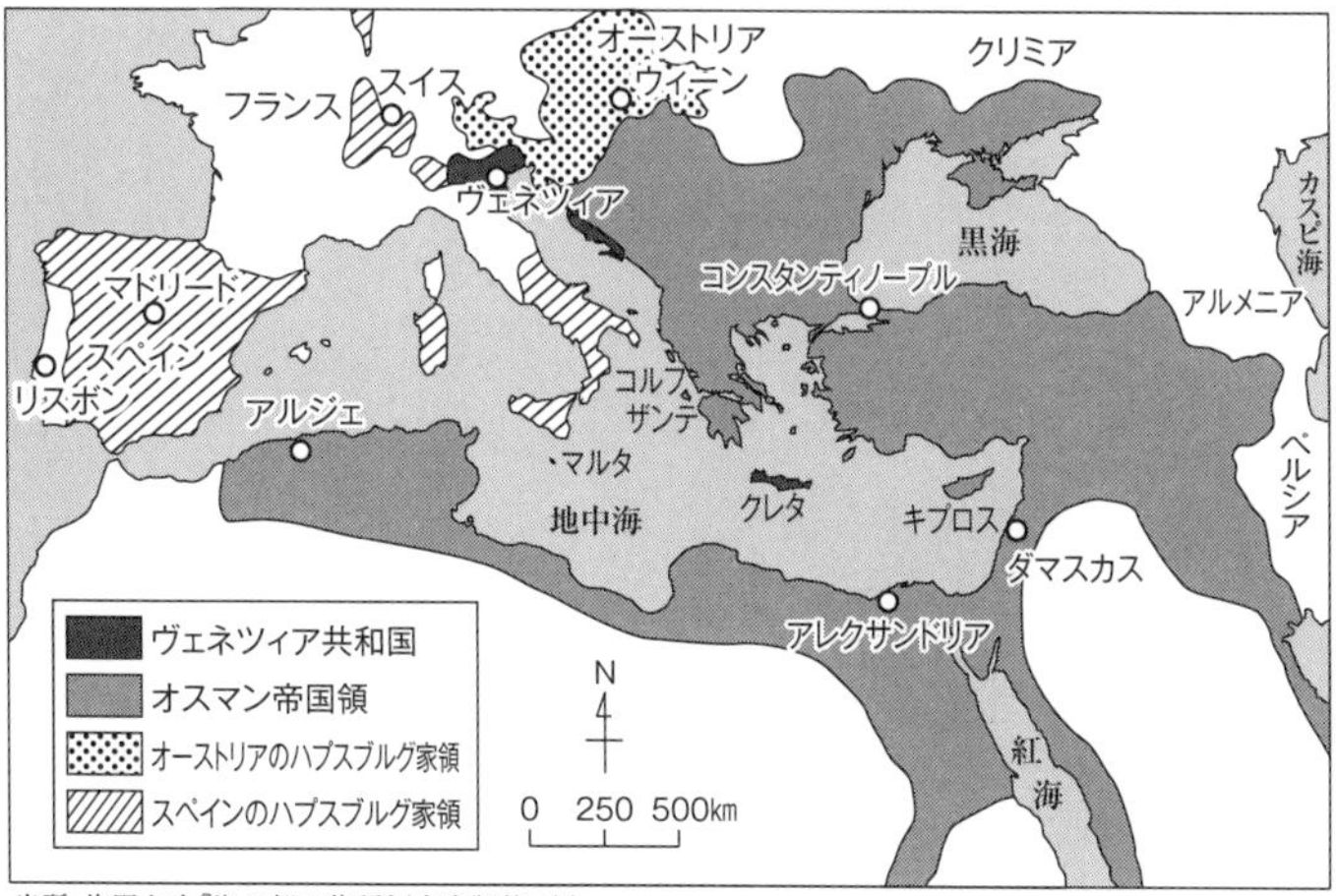


出所：塩野七生『海の都の物語』（文庫版第5巻）

易上の特典を獲得した。これがヴェネツィアを海洋国家として発展させる基盤になったと。

もちろん色んな条件が違うけど、明らかにこれ、戦後の「日本とアメリカ」を中世の「ヴェネツィアとビザンチン」に重ねていますよね。

**呉座**：確かに。一方で中世ヴェネツィアと戦後日本との違いも非常に重要です。ビザンチンは東や南からイスラーム勢力に押され、すでに弱体だったのに対して、ヴェネツィアは海軍力が強かった。なので貿易面で優遇してもらう代償として、ビザンチンの西方を軍事的に防衛する義務を負ったんですよね。この点ではむしろ、戦後日本と在日米軍の関係とは逆になっている。

とはいえ面白いのは、すぐ後の108ページに「プロテクション・レント」（安全保障費）という概念が出てきます。つまりヴェネツィアは国土が狭いから治安の維持は容易で、ビザンチンとの外交関係も良好。後は能率的な海軍さえ持てば、安全保障にかかる費用はきわめて安く抑えられたと。このあたりはまさに、「吉田ドクトリン」の軽武装路線を投影して歴史を描いている感がありますね。

**與那覇**：101ページにあるとおり、他のヨーロッパの地域はこのとき、三圃《さんぽ》制農業に基づく陸上国家です。「馬は牛と比べて、効率は秀れているが、たかくつく動物である」。野草を食べさせておけばいい牛と違って、飼料として雑穀を人が育てないといけない。

そうして育てた馬に分厚い鎧《よろい》の重装騎兵が乗り始めると、これは強力で簡単に倒せないから、懐柔するにせよ押さえつけるにせよ政府には費用がかかる。つまり封建制を束ねるタイプの王国は、統治のコストが高かった。対して騎兵に攻め込まれる恐れのない海洋国家ヴェネツィアは、きわめて安上がりの政府になったと。

## ❖ 専制を抑える「合議」の制度化

**與那覇**：そのヴェネツィアの体制を116ページから、高坂は「限定された統治階級の共同責任に基づく、強力ではあるが抑制された政治制度」と呼んで解説していますね。１３００年に前後して、国会議員の終身化・世襲化が認められ、一方で１３３４年からは元首の諮問機関として「十人委員会」が常設されるようになった。

議員を世襲にして「貴族」を作り出すのは、民主主義には反するけれども、しかしその貴族の内部ではひとりに権力が集中しないよう、何重にも歯止めをかけた。元首は諮問なしで政治をしてはいけない、不当に役職を兼務してもいけない、一定の休職期間を経なければ委員に再選されない、など。いわば集団指導体制ですよね。

**呉座**：統治エリートどうしでの「合議」を義務づけて、特定の支配者だけが突出することを防ぐ発想は、日本の鎌倉時代にもありました。一昨年の大河ドラマ『鎌倉殿の13人』が描いたのも、鎌倉幕府におけるトップである鎌倉殿の専制志向と、合議でそれを抑えようとする有力御家人たちのせめぎあいでしたね。

しかしそうした発想は、鎌倉殿を補佐した北条氏によって換骨奪胎されてしまう。御成敗式目の制定で知られる北条泰時《やすとき》が、1225年に「評定衆《ひょうじょうしゅう》」を設置した点は、高坂が描くヴェネツィアの十人委員会にも近いんですよ。しかしその評定衆の最上位にあたる執権の職は、第2章で触れたとおり得宗家（北条氏嫡流）の世襲とされてしまい、上位の席次も次第に北条一族が独占してゆく。評定衆は結局、「得宗専制」のカモフラージュにしかなり得ずに終わりました。

**與那覇**：なるほど。ヴェネツィアが十人委員会を設けたのは、日本史でいうとちょうど、北条氏への権力集中が憎まれて鎌倉幕府が滅んだ翌年ですよね。しかしその後に始まった後醍醐《ごだいご》天皇の建武新政も、かつての鎌倉幕府の御家人には不評で、まもなく足利尊氏らが離反してゆく。そして泥沼の南北朝の動乱になる。

**呉座**：ええ。独裁者が反抗をすべて抑え込むタイプの安定は、いったん転覆されると、実力競争の仮面をかぶった「殺しあいの解凍」を起こしてしまう。なので普段から、実力主義と権力分立との妥協点を見出しておかないといけません。

投票による民主主義（民主政）には、むろん文字どおりの殺しあいではありませんが、「票集めの実力」を競う殴りあいという側面がある。だから単に選挙を行うだけだと、勝者がすべてを独占して敗者を痛めつけ、結局は「権威主義と大差ない民主主義」になってしまったりもします。

**與那覇**：まさにいま、世界で問題になっている点ですよね。プーチンがそうだし、ハンガリーのオルバンはそのミニチュア。米国でもトランプが再選されたら、そちらのコースに行ってしまわないかと、誰もが心配しています。

## ❖ 外交史家は「貴族政」がお好き

**呉座**：この点で高坂の叙述から強く感じるのは、独裁をよく抑えうるのは「民主政ではなく貴族政だ」とする発想ですね。先ほど與那覇さんが言及された統治機構の改編を解説する中で、かなり赤裸々《せきらら》に表明しています（119頁）。

賞賛に値《あた》いするのは、ヴェネツィアが市民大集会による〔元首の〕選出という直接選挙制をやめることに解答を求めたことであろう。直接選挙制というともっとも民主主義的であると誤解され易《やす》いが、それは大きな功績をあげたりして有名になった者が選ばれ易く、「大衆の支持」を得ているということで、強大な権力を持つ恐れがあるものである。

いま風に言えばポピュリズムの危機を察知して、ヴェネツィアは元首の選出法を国会での間接選挙に切り替え、その議員も世襲で継ぐ形にすることで「自負と責任感、さらにはエスプリ・ド・コー（団体精神）を持たせようとした」のだと。つまり民主政を貴族政に切り替えたことが、ヴェネツィアを繁栄させた政治の知恵だというわけです。いくら保守派の政治学者とはいえ、ここまで貴族を肯定するかなとも思いますが（苦笑）。

**與那覇**：重要なポイントで、普通は民主化が「遅れた」地域に世襲貴族が残っている、と判断しますが、高坂の見るところではヴェネツィアは違って、むしろ積極的に貴族政を

「選んだ」わけですよね。

梅棹忠夫は、欧州では封建制があったから皇帝独裁の帝国にはならなかったと論じ、宮崎市定は中国史でも、逆に皇帝の側が遊牧民を飼いならすために封建制を導入する例はあったと指摘しました。しかし高坂さんは、上からではなく下からのボトムアップで、独裁への歯止めとして「世襲貴族を育てましょう」と（笑）。そうした実験が行われた国としてヴェネツィアを捉えている。

かつてなら、そうした高坂の姿勢は民主政への進歩を否定する「反動」だと非難されたのでしょうが、これはやはり、本業が外交史家なところから来る癖《くせ》ですかね。

**呉座**：そう思います。内政と異なり外交は相手の国があって行うもので、交渉が失敗すれば戦争になる恐れもある。しかし民主政における民意は、しばしば「一番の強硬路線で行け！」のように過激化して、他国との妥協を不可能にしてしまう。だから外交に関しては、職業的な使命感を持つプロどうしが担うのが正解で、民意を介在させない方がいい——といった理解は、（賛否は別にして）いまも多くの政治学者に見られるものです。

## ❖もし高坂が北朝鮮との交渉を見たら

**呉座**：これは『衰亡』のアメリカ論で、高坂が歴代の大統領のうち、ニクソンを評価する理由でもあるわけです。内政ではウォーターゲイト事件（政敵の盗聴）を起こした器《うつわ》の小さい男だが、ベトナム戦争を終わらせ、共産中国への訪問も果たしたのは彼なのだと。

不快ではあるがと断りつつ、ラヴェナルなる識者の「柔軟で、事情に即した外交をおこなうためには、秘密、行政府の特権、非道徳的な対外的行動の許可、市民の権利を縮小する国内的行動が必要」とする論説まで引いていますよね（244頁）。

理想としては、外交の過程も透明化して国民に公開し、丁寧に説明して理解を得るべきである。しかしそうした「民主的」なプロセスにこだわりすぎると、外交で大きな成果は上げられない。今日でもしばしば、私たちが体験する葛藤です。

**與那覇**：永遠のパラドックスですよね。高坂は1996年に、まだ62歳の若さで急逝しますが、もう少し長くご存命だったらと思うことが多いんですよ。

２００１年に９・11テロが起き、アメリカは報復戦争へと突き進みました。さらに02年には当時の小泉純一郎首相の訪朝に際して、北朝鮮が拉致《らち》問題を公式に認めた結果、日本の国内世論が「断固、制裁あるのみ！」になる。まさに民意に開かれた外交をやろうとしたら、最強硬路線しか採りえない状況が生まれてしまった。

こうしたとき、戦後日本における「親米保守」のパイオニアだった高坂さんなら何を言ったかなというのが、当時から気になっています。

**呉座**：ひょっとしたら「許せない気持ちは私も同じだが、それを抑えて長期的な利益を考えるのが外交だ」のように書いた可能性はありますよね。

日朝交渉をめぐっては、外務審議官（当時）の田中均《ひとし》氏が「ミスターX」なる北朝鮮側の要人と交渉して訪朝を設定したと報じられ、「国民の目を欺《あざむ》く秘密外交」だとして、むしろ保守派から非難されました。国交正常化を優先して拉致問題が二の次にされたとも言われましたが、そもそも田中氏の秘密交渉がなければ、北朝鮮が拉致問題を公式に認めることすらなかったことも事実です。

一方で保守を批判するリベラルの側は、外交においても一般市民の感覚は尊重されるべきで、外交の専門家への委任を説く高坂のような姿勢は「傲慢《ごうまん》なエリート主義だ」と唱えてきました。しかし令和の新型コロナウイルス禍《か》では、リベラルほど率先して民主主義をかなぐり捨てて「プロである医者の見解に従え！」と叫び、「自粛」というタテマエで違反者を通報するよう煽っていた（苦笑）。冷戦下の良質な思考の遺産が消えてしまったのは、左右ともまったく同じです。

## ❖古代ローマは軍事では「後進国」

**與那覇**：もうひとつ呉座さんにうかがいたいのは、軍事史の部分です。ローマ帝国を扱う『衰亡』の第一部で「おやっ」と思ったのは、実はローマは馬を使いこなせない文明だったとする指摘があるでしょう。

**呉座**：27ページですね。ブリュネというフランスの歴史家によれば、ローマ帝国衰亡の要因の一つに馬車の質の低さがあると。馬につける「くびき」の性能が低く、重いものを引かせると馬の喉《のど》が締まってしまうため、現在の4分の1の力しか出せなかった。

よく「すべての道はローマに通ず」と呼ばれますが、ローマ文明は街道の整備においては先進的でも、物流能力はそう高くなかったわけですね。中世の封建社会になっても、馬は維持するためのランニング・コストが高いので、鎧を着て乗馬で戦うあり方もアジアに近い東欧で先に発展し、西欧はむしろ遅かったとも高坂は言っています（100頁）。

**與那覇**：ここで思い出すのは、第2章で扱った宮崎市定の『素朴主義と文明主義』です。同書の44ページによれば、中国ではもともと「戦車」を馬に引かせて、武人は台車の上に立って戦った。ところが西域と接する秦では、直接馬にまたがる騎乗戦法が大規模に採用され、車を不要とするこちらの方がどんな地形でも走れるため、圧倒的に強かった。

秦がこうした遊牧民由来の戦法で統一を成しとげるのは、紀元前221年です。対して、西欧で乗馬した重装騎兵が戦い出すのは9世紀頃というから、１０００年くらい遅れている。経済のみならず軍事面でもヨーロッパは、当初は「後進国」だったわけですよね。

**呉座**：その視点は重要で、高坂のヴェネツィア史で私が膝《ひざ》を打ったのは、113ページからの「いし弓」の解説でした。弩《ど》ないしクロスボウといった方がわかりやすいでしょうが（図

図8　いし弓（弩/クロスボウ）

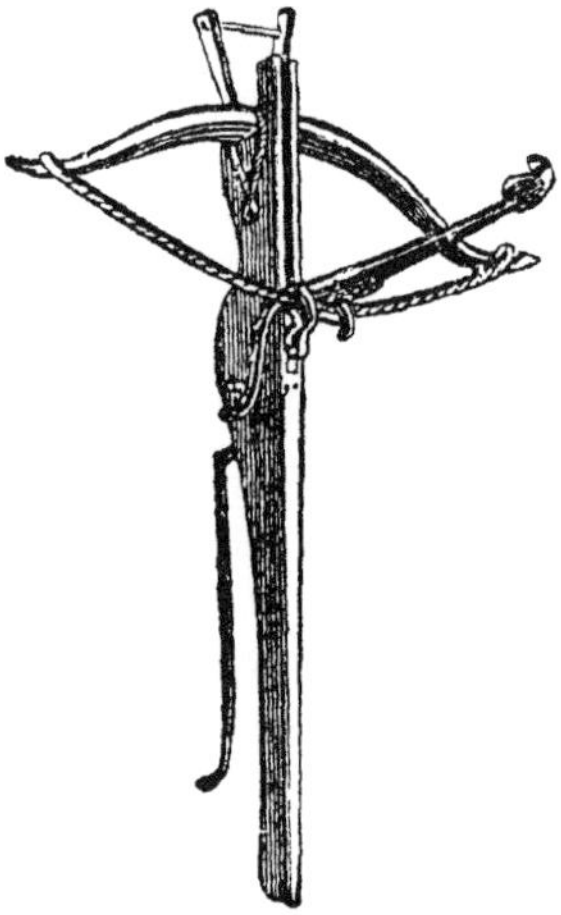

8）、これが13世紀に普及する。人が腕で引っ張る普通の弓と比べて威力が段違いなので、重装騎兵が攻めてきても、城内から発射して鎧を貫ける。これがヴェネツィアの防衛力を支え、全盛期を演出したといいます。

**與那覇**：戦法に関する記述で面白いのは、第二次ポエニ戦争（紀元前218〜201年）でも、騎兵と歩兵を組み合わせて精強を誇ったのはハンニバルのカルタゴ軍だったと。質で劣るローマ軍は、正面からは戦わないゲリラ戦でどうにか勝ったのであり、それには「人民の支持」と、ローマの「同盟国」の献身が大きかったと書いていますよね（32頁）。

**呉座**：明らかにベトナム戦争を意識して、高坂は語彙を選んでいますね（笑）。兵器の面では圧倒的に勝る軍事大国アメリカを、北ベトナムがゲリラ戦術で消耗させて破った。

**與那覇**：初期のローマは服属させたイタリアの諸都市を併合せず、従属的ではあっても同盟国として寛大に扱ってきたため、ハンニバルが離反を呼びかけても彼らはローマに背《そむ》かなかった。「視野の広い、現実的な外交が、この危機のときにローマを助けた」とも記していますが、これは日米同盟の暗喩でしょう。

高坂にとってのあるべきアメリカ外交とは、当時のローマのような「懐《ふところ》の深さ」ゆえに、従属国からも慕われるタイプのものだったのでしょうね。それならソ連が戦争や宣伝で攻勢をかけても、米国を見切って共産主義になびく同盟国は出ないと。

**呉座**：カルタゴは今日のチュニジアを中心とする国家でしたが、ユーラシアはもちろんアフリカに比べても、ヨーロッパは当初「遅れた地域」だったわけです。しかし、だからこそ苦境を乗り切る知恵として、ローマでもヴェネツィアでも外交術の洗練が起き、新たな兵器も開発された。そうした歴史の感覚が、高坂さんにはあったのだと思います。

## ❖日本は中世から「シーパワー未満」

**呉座**：ところで日本の軍事史の面白いところは、西欧はもちろん中国でも実用化された弩が、ちっとも入ってこないんです。人が引く弓矢と、火砲とのあいだに挟まる「弩の時代」が存在しない。高坂がヴェネツィアの繁栄に日本を重ねて見ていたとしても、軍事技術の面ではそこがまったく異なる。

なぜ日本で弩が普及しなかったかというと、おそらく必要がなかったのだと思います。

**與那覇**：そうなんですか？　確かに日本の中世ではヴェネツィアのように自立した「都市国家」の事例が乏しく、せいぜい戦国時代の堺《さかい》があるくらいです。それはしばしば、自治への志向や市民意識の低さのような理由で説明されて来ましたが……。

**呉座**：中世日本の武士団って、基本的には個人行動なんです。13世紀の蒙古襲来で戦った竹崎季長《すえなが》が典型ですが、親分が一番乗りをめざし駆けてゆくと従者がついていく感じ。

西洋の重装騎兵は統率の取れた集団で号令に従って突撃し、高坂の比喩でいうと「タンク」（現代の戦車）のように敵陣を陥落させますが、そうした戦い方はしないんです。織田信長など戦国大名の軍隊にせよ、家臣たちの手勢を寄せ集めたもので一体としての訓練を普段していないから、一斉突撃なんてできません。

有名な「武田信玄の騎馬軍団」も、実像は後世に想像された姿と異なります。宣教師のルイス・フロイスが『ヨーロッパ文化と日本文化』（岩波文庫）で、「われわれ（西洋人）の間では馬で戦う。日本人は戦わなければならない時には、馬から降りる」との観察を記していて、多少は誇張もあろうと思いますが、当時の日本で「騎馬隊の密集突撃」が行われていなかったことに関しては、日本史学界の共通認識になっています。

**與那覇**：なるほど。確かにそれなら、そもそも防御のために弩を備えようという発想には行かないですよね。なので「弩と都市国家の時代」がないままに、16世紀にいきなり鉄砲が入ってきて、しかし江戸時代に入ると武器としては使われなくなる（ノエル・ペリン『鉄砲を捨てた日本人』中公文庫）。いわゆる徳川の平和です。

高坂が131ページで述べるように、日本で応仁の乱が起きた頃から西欧では大砲が普及します。これにより城壁での防衛が無力となって、ヴェネツィアなどの都市国家は没落し、領域国家（後の国民国家）の時代に入ってゆく。それに比べると日本は、軍事的なイノベーションが一周遅れている感じがしますね。

**呉座**：まさにそうなんです。平成の後半から地政学が大衆化し、「中露のランドパワーに対抗するには、シーパワーの伝統を持つ日米欧が結束して……」と多くの人が言いますよね。でも日本史家の目で見ると、そもそも日本にシーパワーの伝統なんてあったかなというか（笑）。

**與那覇**：梅棹忠夫や宮崎市定を読んだ上で振り返ると、ユーラシア国家のランドパワーとは、前近代に猛威を振るった遊牧民の「馬力」の末裔《まつえい》という気がしますよね。これに対して西欧は、全盛期のローマ帝国ですら立ち遅れていた。

高坂のヴェネツィア史が描いたのは、だからこそ騎兵での突撃とは「違う」戦い方が模索されて弩や海戦、大砲が生み出され、シーパワーという新たな形態を生み出す過程とも呼べます。しかし日本の場合は、そこまで知恵を絞らなくても平和が得られてしまったので、どちらのパワーも身につけずにすんだという感じでしょうか。

**呉座**：おっしゃるとおりで、シーパワーもなにも、前近代のあいだは、日本は本格的なランドパワーとの戦争自体を体験していない。例外は蒙古襲来（元寇）と豊臣秀吉の朝鮮出兵くらいで、どちらも短期間の現象ですから。ランドパワーとの対峙を常に強いられたヨーロッパに比べれば、「牧歌的」とすら表現できる戦争経験です。

そういう意味では日本の「平和ボケ」は今に始まったことではないし、ある意味で幸運な国だった。日本と西欧を「第一地域」として一括する梅棹的な見方は、この点でも相対化しておく必要があると思います。

## ❖「先進国」を衰えさせる原理主義

**與那覇**：さて１３００年代の初頭に確立した貴族政の下、優れた外交術と兵器を用いてシーパワーとして繁栄したヴェネツィアも、１５００年代を通じて没落してゆきます。軍事的には東にオスマン帝国、西にフランスが強国として台頭し、加工貿易でも北にオランダ、イギリスというライバルが出現したことが大きかった。

しかし高坂さんの筆致はそうした個別の条件を超えて、先進国が衰退し「追い抜かれる」メカニズムの本質をつかもうとしますね。たとえば145ページの末尾から、それらのライバル国に敗れた理由を普遍的な表現で述べている。

**呉座**：「大きな領域を持ち、それゆえ多くの人口を抱える国がヴェネツィアの組織の方法、とくに財産管理の方法をある程度まで学ぶと……ヴェネツィアのような小国を圧倒するようになった」。都市国家ならではの共和主義に基づく結束力で、ヴェネツィアは数々のイノベーションを達成したけれども、その技術を大国に盗まれると対抗できなかったと。現実のヴェネツィアは北イタリアに陸上領地を拡大していったので、高坂が言うほど図式的に説明できるかは疑問ですが、大まかに見れば正しい指摘でしょう。

まさにいま、ＢＲＩＣｓの台頭を説明する際に言われることと同じですね。財産権が保障された自由民主主義の社会でしか、安定した経済成長はできないとかつては思われていました。しかしテクノロジーだけを西側から採り入れれば、政治的な自由のない国家資本主義でも発展できることを、特に中国が示してしまった。

**與那覇**：ええ。さらに示唆的なのは160ページで、ヴェネツィアの主要産業だった毛織物の輸出に関して、新興国のイギリスが同じレベルの高級品を、もっと安値で提供するようになってきた。ところがヴェネツィア人は、英国産が売れる理由は「安さだけなんだ」と見下し続けて対応を怠《おこた》り、市場を奪われるに任せたと。

**呉座**：執筆当時の高坂は、「安かろう悪かろう」と見下していた日本製品に市場を席捲された、アメリカを念頭に置いていたのでしょう。しかし因果はめぐり、今や日本の電機メーカーが、かつてパクリだと見下した中国製品にシェアを奪われている（苦笑）。

**與那覇**：なにより注目されるのは、本書が議論してきた原理主義の問題を高坂さんも採り上げている。「不寛容な教条主義の擡頭《たいとう》」と題された、166ページからの節が典型です。

梅棹忠夫とも重なりますが、ロシア・トルコという政教一致の国家が大国化する一方、16世紀の後半からはスペインの「反宗教改革」（＝ローマ教皇庁の絶対化）がイタリアにも影響を及ぼした。結果として、当時の自然科学をリードしていたヴェネツィアのパドヴァ大学は学問の自由を失い、地動説を唱えたガリレオも１６１０年に同大を去ります。

**呉座**：続く指摘もコロナを経た今、示唆的ですよね。１５７５年に疫病が流行した際には、ヴェネツィア人は公衆衛生を工夫するなど科学的に対応した。しかしそうした合理精神は徐々に後退し、１６３０年の流行では、むしろこれは天罰であり、教皇にもっと忠誠を誓うべしという神頼みの世論に陥ったと。

**與那覇**：２０２０～23年に日本のコロナ禍で起きた変化は、ヴェネツィアを駆け足でなぞるものでしたね（苦笑）。最初こそ一応はデータを示すなど「科学的」っぽく対策を説いていたのが、途中から「とにかく専門家に従わないのは非国民！」しか言わなくなった。いわば、科学がまるごと新しい宗教になり、健全な疑問すら受けつけない原理主義に化《ば》けてしまったわけです（拙著『危機のいま古典をよむ』而立書房）。

## ❖冷戦に「敗れつつあった」アメリカ

**與那覇**：「衰退」を論じる高坂のセンスを踏まえて、本題のアメリカ論を見ていきましょう。このとき大事なのは、１９７０年代を通じて「アメリカは冷戦に疲弊し、国力を失いつつある」と。今では忘れられがちですが、高坂さん自身も含めて、そうした感覚が当時は主流だったんですよね。

**呉座**：はい。１９７３年にパリ和平協定が結ばれ、アメリカはベトナムへの介入から手を引くことを約束しますが、これは実質的には「敗北」でした。前年の72年には反共主義者として知られたニクソンが、国家として承認していないはずの共産中国を訪問している。どちらも主導したのは大統領補佐官で、いまもリアリズムの模範と呼ばれることの多い国際政治学者のヘンリー・キッシンジャーです。

　しかし本人も同業者だったからか、高坂のキッシンジャー評は淡々《たんたん》としていますね。204ページにはっきり書かれていますが、欧州（対ソ連）とアジア（対中国）で同時に戦端を開ける実力は、ベトナムの失敗によって米国にはなくなった。だったら中ソが仲たがいしているうちに、片方と握手して対ソ戦略に集中するしかないでしょうと。パワーの限界から来る、当たり前の判断に過ぎないとする評価です。

**與那覇**：206ページでは、いまやソ連の方が優勢だとさえ分析していますね。1974年にエチオピア、75年にアンゴラと2つの衛星国をアフリカに作り出し、79年の末にはアフガニスタンに侵攻した。これは同年にイラン革命が起き、米国はそちらの対応で手いっぱいになると踏んだ、ソ連側の自信の表れだというわけです。

『衰亡』の刊行は81年の11月で、1月にレーガン政権が発足してから1年近く経っていました。今日ではレーガンの新自由主義的な政策が奏功《そうこう》して、アメリカ社会が活力を取り戻し、ソ連を打ち破ったと振り返られがちですが、高坂の筆致はむしろ悲観的です。

**呉座**：そうなんですよね。ヴェネツィア論にも表れていたように、高坂としても「小さな政府」を支持してはいましたが、「レーガン政権がアメリカを再生させることができるかどうかはまったくの未知数である」(258頁)。

79年には政府の縮小をより明快に打ち出して、マーガレット・サッチャーが英国の首相に就いていたのに、こちらは「イギリスの保守党政権」としか書かれていない。新自由主義への期待は感じられません。

## ❖リアリズムの敵は「悪」でなく「愚かさ」

**與那覇**：冷戦がアメリカの「勝利」で終わった後も、高坂は本書の立場を変えていないんですよ。90年の講演に基づく『二十世紀』によれば、70年代初頭のデタント（緊張緩和）の約束を守り、米ソが協調して軍縮を進めるのが、本来あるべき冷戦の推移だったと。

ところが「米国弱し」と見たソ連が裏切ったために、80年代を通じて軍拡競争が展開され、先に経済が音《ね》を上げたソ連は崩壊した。つまり冷戦に勝ったと言っても、それはソ連が自滅しただけで、アメリカの衰亡という事実に変わりはないと考えていたわけです。

なので『二十世紀』でもレーガンは、単にポピュリストだとする低い評価のままです。軍拡には増税が必要で、国民に理解を求めないといけないのに、逆に減税を打ち出して人気をとろうとした。そんなことを平気でやれる政治家は「真っ当な人間でない」と、散々な表現で批判していますね。

**呉座**：リアリズムの国際政治学の基本は、なによりも自他のパワーを正確に測り、勢力を均衡させることで戦争の勃発を防ぐということです。その原則から外れた軍事や外交は、ソ連であれ米国であれ、高坂としては容認できなかったのでしょう。

レーガンは大統領在任中の1983年に、今なら「宗教右派」に括られる福音派の大会で、ソ連を「悪の帝国」と呼ぶ有名な演説をしました。しかし対立する敵を「悪だ！」とイデオロギー的に断罪するのは、支持者の熱狂を煽る上では便利でも、当の相手と交渉し穏当な妥協を引き出す可能性を狭めてしまう。思考の原理主義化を警戒する高坂にとっては、レーガンは国家の指導者として、評価できないタイプだったのだと思います。

**與那覇**：レーガンの前のカーター政権に対してですが、『衰亡』の207ページでは革命後のイランで起きた米大使館人質事件に関しても、むしろアメリカの方を批判している。これには大変驚きました。9・11以降の親米保守には、絶対あり得ない態度ですから。

しかし高坂いわく、もちろんイランがやったことは暴挙であり悪だけれども、しかしイラン国民の怒りを集めているパーレビ前国王を庇護《ひご》した米国は「愚か」であったと。「政治においては、不法なことより、愚かな行為の方が、より大きな災いを招き勝ちである」。裏を返せば、正しさよりも賢明さを優先するのが、現実主義の政治学だということですね。

## ❖トランプ現象を予見した慧眼

**與那覇**：ポピュリズムと原理主義に「衰亡」の兆《きざ》しを見るのが、高坂流の文明史だという点がより鮮明になりましたね。ここで振り返ると、前章で見た井筒俊彦とは、ちょうど逆の気質だとも言えます。

井筒さんの場合、イスラームのような一つの思想が出てきて、新たな信徒を続々と惹きつけ、自他融合した共同体を作ってゆく……といった文明の育まれ方が基本的に好きなわけです。しかし高坂さん的には、それはデマゴーグが悪い意味での「信者」を操り、国家を乗っとってしまう禍々《まがまが》しい印象になる。

**呉座**：そうでしょうね。今で言えば「偉大なアメリカの復活」を掲げたトランプが出てきて大統領になり、共和党の内実も変えてしまった。しかしそれは、むしろアメリカが自らの偉大さを失う徴候なんだと。高坂ならそう考えたでしょう。

この点で興味深いのは246ページに、米国の大統領予備選挙への批判があります。1950年代までは共和・民主ともに党の「組織」が候補を決める州が多数派で、予備選には世論を観察するサンプル調査の役割しかなかった。ところが60年代から政治の大衆化に伴って予備選を行う州が増大し、70年代に現在の大統領選のスタイルが定着する。つまり予備選を含めて1年近くのマラソン選挙になるので、出馬すると資金も体力も疲弊させられ、かつ極端な言動で注目を集め続けるポピュリストが有利になってしまう。

「大衆民主主義」という用語を否定的に使うあたり、いかにも高坂の保守派らしいところですが、2016年のトランプ旋風を言い当てていたとも見ることができます。

**與那覇**：2019年が原著のラリー・ダイアモンド『侵食される民主主義』（勁草書房）は、トランプ当選の反省を踏まえた政治学の研究ですが、やはり予備選に米国の病巣を見ていました。「赤い州・青い州」と呼ばれるように、多くの選挙区では最後の勝者がわかっているため、わざわざ予備選挙に足を運ぶのは片方の党のイデオロギーに凝《こ》り固まり、対立党派を罵って気勢を上げたい暇人《ひまじん》に偏りがちなんですよ（苦笑）。

だからリベラル派をいちばんこき下ろしてくれるのは「トランプだ！」となると、共和党の予備選ではトランプやそのシンパばかりが通る。民主党の側でもバーニー・サンダースらの経済左翼か、教条的に$CO_2$削減を唱える環境左派だけが強くなる。

**呉座**：公式な大統領選の前に、何回も党の予備選挙を繰り返して連勝し続けたら「これだけ民意を代表する俺は、なにをやっても許される」といった勘違いも起きますよね。そこで面白いなと思ったのは、むしろ4回の選挙に挟んで5回のくじ引きも行って元首を選んだヴェネツィア共和国のやり方を、高坂が高く評価しているでしょう。

現代人には不合理な選挙法に見えても、「秀れた指導者が出るかどうかには運がつきまとう。それをはっきり認めて、くじをおごそかに引くという方が、理屈だけで決めるよりも謙虚《けんきょ》で人間的である」とまで言っています（120頁）。つまり、どれほど理想的な政治制度をデザインしても、運の要素をゼロにはできないとする自覚が大事だと。

## ❖ベトナム戦争と「近代原理主義」の逆説

**呉座**：よく、保守主義の政治哲学のコアは「理性の限界」の指摘だと言われますよね。リベラル派が現状を不正義に満ちたものとして否定し、一から新しく考えた「理想の秩序」に移行せよと迫りがちなのに対して、そんなことはうまくいかないんだと。むしろそうした設計主義は、必ず機能不全や副作用を起こすから、人間はもっと謙虚でなくてはならないと保守派は考える。

この観点で『衰亡』を読むと面白いのは、高坂は「理性」ではなく、「知恵」や「叡智」といった用語をポジティブに使うんですね。つまりベストなビジョンを実現できるといった思い込みを捨てて、現実の経験の中から「ベターな選択」を模索する態度を是《ぜ》としていた。それが社会科学を専攻しつつも、歴史を重視する姿勢につながっていました。

**與那覇**：高坂が原理主義を警戒するのも、それが「理性の傲慢」に通じるからですよね。理想のビジョンはすでに描かれており、後は実現するだけでいいんだ、みたいな。

しかしアメリカの場合に難しいのは、そもそも国の成り立ち自体に「近代原理主義」のような側面があります。自立した自由な個人が科学的な思考に基づき、出自や身分ではなく能力を競いあうことで、世界で最も合理的な社会を作っていこうと。そして高坂さん自身、そうしたアメリカン・ドリームに対しては、両義的な感情を吐露していますね。

214ページにいわく、ＧＨＱが敗戦国日本の再生を企図した第二次大戦直後と、若き大統領ケネディが指導した１９６０年代初頭のアメリカとが、自分はいちばん好きだと。この二つの時期のアメリカ人は、自分たちがよいと思う民主主義は「世界のどこでもよいものだ」と素朴に信じていて、もちろんそれは傲慢なんだけど、善意ゆえの明るさでもある。

**呉座**：ケネディはベトナムへの介入を始めた大統領でもあり、なので続くページで「技術の可能性を信じ世界を『近代化』できると思っていたアメリカは魅力があった。ただ彼らには『美徳でさえも過剰になれば害をもたらす』というモンテスキューの言葉に代表される知恵がなかった」と添えていますね。

高坂も引用するように、ベトナム戦争を泥沼化させた米民主党政権のスタッフの質は決して低いものではなく、むしろ『ベスト&ブライテスト』（Ｄ・ハルバースタムの著書名。邦訳は朝日文庫）と呼ばれるエリート揃いでした。しかし米国ゆえに育まれた、彼らの近代的な理性への一途《いちず》な信仰は、かえってアメリカという文明を衰亡させた。そうした逆説があるわけです。

## ❖ 米国の「空洞化」を追いかけた平成日本

**與那覇**：ジェイン・ジェイコブズという、保守派よりもむしろリベラルに人気の高い女性の都市研究者がいます。高坂さんは193ページなどで、彼女の議論に全面的に賛同しつつ、戦後のアメリカは内政でも大きく間違えたと指摘している。一見すると意外ですが、これもまさにトップダウンのエリート行政に対する批判です。

第二次大戦後に一貫して、米国では猥雑《わいざつ》な都市に密集してスラムのように暮らす人たちは「かわいそう」だから、離れた郊外に清潔な一軒家を増設し、文化的な暮らしをさせてあげようとうたう住宅政策が採られた。しかしその結果はご近所どうしのコミュニティが破壊され、小ぎれいな自宅には住んでも孤独を抱えた家族と、見た目ばかりが立派で誰も使わない公共建築をもたらしただけだったと。

**呉座**：外ではベトナム戦争の敗北、内からはコミュニティの空洞化により、第二次大戦に勝利したアメリカの栄光は傾いてゆく。興味深いのは、その頃の日本では高度経済成長に伴い、地方の農村から都市に出てくる人口が急増しました。「コミュニティを失い孤独が増える」という結果は同じでも、人の流れの方向が日米では正反対になっていた。

自民党政権も昭和のあいだは大規模スーパーを規制し、自営業者が並ぶ商店街的な路地を保護する政策を採ったので、ジェイコブズが憂慮した事態は日本では起きなかった。日本がアメリカに似てきたのは、むしろ平成ですよね。

どこの郊外にも巨大なイオンモールが建って、従来あった小売・飲食店が潰れ、地方都市がみな個性を失い、均質で無機質な空間になってしまった。風土が丸ごとファストフードのチェーン店のようになったとの趣旨で、「ファスト風土化」とも呼ばれました。

**與那覇**：レーガンの「小さな政府」路線に対して、高坂が支持しつつも期待しなかったのは、そうした問題を意識していたからでしょう。社会福祉への依存を軽減するには、国民に自立への気風を促さないといけない。しかし誰もが孤独で、ご近所にすら頼れない環境を放置したまま、「活力ある民間社会を取り戻そう」と喧伝《けんでん》しても無理がある。
『衰亡』でも米国の活力の低下は「大きな政府」だけが理由ではないから、政府の規模を縮小するだけでは回復し得ないと示唆していましたが、『二十世紀』ではより具体的に、衰退の要因を挙げています。大きいのは冷戦の影響で、日本と西ドイツの復興はソ連に対抗する上で不可避でしたが、経済上のライバルを増やす結果になった。左翼と反共主義のいがみあいは、大学や知識人をイデオロギーに偏重させ、知的な生産性を削《そ》いでいった。

**呉座**：まさにヴェネツィアの衰亡と重なりますね。進んだ技術を教えてあげた地域が競争相手として台頭し、二元論的な世界観（中世ではカトリック対プロテスタント）が教条化されて大学にも押しつけられ、研究の自由が失われると。

## ❖乗り越えられない「人口」の難題

**與那覇**：さすがだなと感じましたが、高坂は『二十世紀』では人口論の視点も採り入れています。アメリカは１９３０年代の世界恐慌で受けた傷が深刻すぎたので、その期間は生まれた子どもが少ない。逆にいうと第二次大戦後のベビーブームで生まれた世代が全人口に占める比率が、日本の団塊《だんかい》の世代に比べても異様に高い。

たとえば１９４５年に生まれると、ベトナムで北爆が始まる65年に成人し、つまり人生でいちばん多感な時期に「正義のない戦争をしている、ウチの国はクソだ」という体験をする。人口的に突出して多い年齢層が、自国の価値を信じられない状態になる。これがアメリカを衰亡させる病の、最大の本質だと高坂は見ていたようです。

**呉座**：『衰亡』のヴェネツィア編では123ページに、世襲の貴族政の下で「深慮《しんりょ》」を重んじる文化が根づいたため、重要な役職ほど年長者が就き、「ヴェネツィア人は年よりも老けて見えると十七世紀末のイギリスの旅行者は書いている」との指摘があります。一方で元老となったベテランがいつまでも牛耳《ぎゅうじ》るのではなく、特定の一族が権力を独占するのはよくないからとして、自ら身を引く例もあったとも記されている。

人生の中で身につける「知恵」を重視する観点からは、そうした「節度ある長老支配」の政治が理想だったのでしょうが、「反戦世代の叛乱《はんらん》」を迎えて以降のアメリカでは望むべくもなかったわけですね。もし、81歳のバイデンと77歳のトランプが互いに老害だと罵りあう今年の大統領選に接したら、高坂の絶望はより深まったでしょう（苦笑）。

**與那覇**：『衰亡』の289ページでは近世のオランダの繁栄が分析されますが、僕は戦後日本の高度成長の隠喩として読みました。いわば戦後生まれの世代に向けて、高坂が鳴らした警鐘だともいえます。

16世紀の末からヨーロッパでは人口が増大して需要が生まれたところに、海洋国の特性がフィットして、オランダは通商国家として覇権を手にした。しかしそれは「幸運」による意外な成功だから、やがて他国の嫉妬を買い、対抗措置を採られることで終わってゆくと。

**呉座**：一方で高坂の人口論に死角があるとしたら、少子化で「人手不足」に陥るといった今日の事態は想定外だったでしょうね。225ページから言及されるローマ・クラブ報告『成長の限界』（1972年）のように、当時は世界の人口が増えすぎて過剰になり、資源が枯渇《こかつ》するという危機感が圧倒的でしたから。まさか人が「足りなくなる」とは予想しなかったと思います。

## ❖「軍事なき海洋国家」は幻想なのか

**呉座**：高坂さん自身、初の単著が『海洋国家日本の構想』（１９６５年、現在は中公クラシックス）だったように、戦後の日本は軍事ではなく、貿易で世界に飛躍することでやっていけると、最初は考えていました。百田尚樹さんがあまりに恣意的な引用をするので批判したことがありますが、梅棹忠夫も『文明の生態史観』の223ページで、もし日本が鎖国せず戦国時代に東南アジアに築いた日本人町を維持していたら、欧米の帝国主義は入って来れなかったかもしれないという趣旨のことを書いている。

高坂と梅棹はともに京大で、また大阪出身の司馬遼太郎もそうですが、戦前の軍事的な帝国主義には批判的でも「通商帝国」のような形で日本が平和的に発展できたらよかった、とする歴史の感覚が戦後の関西文化人にはありました。彼らの理念は、１９７０年の大阪万博にも投影されています。ただ高坂は安全保障の専門家だったから、「貿易立国や通商国家だけでは、限界がある」と最初に気づいたのかもしれません。

**與那覇**：やはり京大の宮崎市定も、もともとは戦時中に「大東亜史」の教科書として書いた『アジア史概説』（現在は中公文庫）を１９９３年に全集に入れる際、政治的にやや微妙なことを書いています。結果から見れば、欧米の帝国主義をアジアから一掃するきっかけを作ったのは日本だった。しかしその日本は戦前、開国して交易を行うと決めた徳川幕府を否定し、排外主義的な尊王攘夷派を「志士」として讃《たた》える、倒錯した歴史観を教えてきた。それで道を誤ったのだと。

井筒俊彦も（哲学の）京都学派に属する西谷啓治から影響を受けており、また大川周明の代筆をしたあたりは今日の感覚ではグレーですが、東西での「思想の交流」を積極的に評価していたのは間違いない。問題はそうした海外雄飛の発想を、平和裏に展開するポテンシャルが日本にあるのかでしょうね。

**呉座**：どうしても日本人の平和のイメージは、「鎖国」の方に寄りがちですからね。つまり海外との交渉をなるべく絶ってひきこもる、いわゆる一国平和主義が好まれやすい。また『戦争の日本中世史』で論じた南北朝統一のように、しっかりした思想の裏づけがなく、疲れたからなし崩しで戦闘をやめるといった和平のあり方が歴史的にも多い。

むしろ日本人が稀《まれ》に「意識が高い」ことを言い出すと、八紘一宇《はっこういちう》で大東亜共栄圏をめざせといった、好戦的で夜郎自大な原理主義になりがちです。リアリストとしての高坂の警戒心も、そこから来ていたのだと思います。

## ❖いま衰亡論から学ぶべきこと

**與那覇**：73年のオイルショックに前後して高度成長が終わり、頼りとする米国の繁栄にも陰《かげ》りが見えた1970年代は、「日本はこのままで行けるのか？」とする懐疑の念が広がった衰亡論の季節でした。高坂の視点に最も近いと感じるのは、1977〜78年に山本七平が発表した「失われた文明の旅」です（『文藝春秋』2023年1月号の拙稿参照）。

トルコのイスタンブル、つまりかつてビザンチン帝国の首都だったコンスタンチノープルを訪れた旅行記の形で、なぜ同帝国に受け継がれたローマ文明が滅んだかを考察するのですが、山本が注目するのも原理主義の副作用なんですよ。ビザンチンのキリスト教はいわゆるギリシア正教で、ローマ・カトリックへの対抗心が強すぎたために、イスラムのオスマン帝国に包囲されても西欧に援軍を求めることをよしとしなかった。だから現実的な防衛政策を採れなかった。

山本は彼らしい皮肉で、このときビザンチンに宗教的な信念を曲げろというのは、戦後の日本人に「憲法を改正して基地反対運動をやめろ」という以上の難事だったろうと書いている（苦笑）。そうした歴史の感覚は、高坂のヴェネツィア論とも重なります。

**呉座**：高坂さんも『衰亡』の結末にあたる295ページで、塩野七生がヴェネツィア人を評した「それをしていることを十分に承知している人間の行う偽善は、有効であるとともに、かつ芸術的に美しい」という一文を引き、しかし直後に「それはやはり難かしい」とも添えている。これは明らかに、かつては自分も唱えた護憲論への内省ですね。

**與那覇**：憲法九条の戦争放棄は、リアリズム（日米同盟と在日米軍）に裏づけられて初めて機能する「偽善」だと自覚して掲げる分には、十分に有効で美しいビジョンだった。しかしそれをずっと続けていくと、いつしか「理想」をベタに信じてそのまま実現すればうまくいくとしか考えない、原理主義の罠に落ちてしまうというわけですね。

**呉座**：ええ。だから高坂はローマ帝国の考察を閉じる際にも、これを学べば衰退を避けられるといった発想は「衰亡論の正しい読み方ではない」と断じています（90頁）。そうしたハウツー本的な歴史の扱い方は、人間の理性を過大評価し、指導者さえ優秀なら「理想」どおりに国家を運営できるといった錯覚をもたらすからです。

むしろ歴史とは、どれほど努力しても避けられない人間の限界や、運や偶然に左右される社会の不条理に向きあう感覚を養《やしな》うためにこそ、参照されるべきではないか。それはちょうど文明論が「俺たちの文明はすごい」といった自賛ではなく、他者と比較した上で自らの長短を把握するために用いられるべきなのと同じです。高坂をはじめ、本書で読んできた著者の思考はいずれも、そうした知見を与えてくれるものだったと思います。

# 第5章

## 丸谷才一『忠臣蔵とは何か』

### ——事前に「革命」の芽を摘むJエンタメの起源

# 丸谷才一

（まるや・さいいち）　１９２５〜２０１２年

作家、山形県鶴岡市出身。東京大学文学部で英文学を学び、のち國學院大学助教授。ジェイムズ・ジョイスなどの翻訳に携わりつつ創作活動を行い、１９６８年に「年の残り」で芥川賞受賞。長編小説『裏声で歌へ君が代』（82年）、『女ざかり』（93年）はベストセラーとなった。日本の古典文学への造詣《ぞうけい》も深く、『後鳥羽院』（73年）など多くの評論を残した。

使用テキスト＝『忠臣蔵とは何か』講談社文芸文庫、１９８８年
　原著は１９８４年刊。野間文芸賞受賞。

## ❖明るくなった江戸時代のイメージ

**與那覇：**最後となる5冊目は、丸谷才一（作家）が１９８４年に刊行した『忠臣蔵とは何か』です。前章の高坂さんの本の３年後で、バブル景気にはまだ突入していませんが、日本経済は好調でポストモダンの思想が流行り始めた頃ですね。たとえば最近中公文庫に入った、浅田彰《あきら》さんの『構造と力』が出たのが83年。「衰亡論」的な不安がやや薄まり、このまま消費社会をエンジョイできるとの期待が生まれた季節といえるでしょう。

丸谷さんは純文学を本業としつつ、専攻した英文学のセンスを活かした風俗小説でしばしばベストセラーを出し、また文芸評論や翻訳も多く手がけました。村上春樹がデビューしたのは79年ですが、当時から「通じるもの」を見て強く後援した先輩作家と呼べば、いまの読者にも雰囲気が伝わるかと思います。

**呉座：**『忠臣蔵とは何か』は評論としての代表作ですが、かつて文芸批評は日本で文明論を探求する際の有力なジャンルでした。最近でこそ「感情史」のような分野が提唱されていますが、歴史学は実証可能な事実（史実）の解明を主眼とするので、過去を生きた人が「どんな気持ちだったか」といった部分は切り落とされてきた。

文芸評論の元祖にあたる小林秀雄は1961年、連載「考へるヒント」（のち文春文庫）でまさに『忠臣蔵』を素材に、現代人には想像することが難しい往時の人々の情感を「歴史の穴」と呼び、歴史学者はそれを素通りしすぎだと批判しました。丸谷さんも20ページから小林に言及しつつ、自分はもっと精緻に彼らを理解してみせると表明する。こうした文学や芸能を扱う批評の系譜が、日本文化論の貴重な蓄積になっています。

武士という私の研究テーマと重なることもあって、後ほど述べますが正直、歴史学者としては丸谷さんの解釈に「どうかなぁ」と思う箇所もあります（苦笑）。ただ、だからといって同書が無価値な「トンデモ本」ということはなく、むしろ史実と異なる部分は訂正しつつ、日本人の思考や感情の奥底を探る手がかりとして読める作品だと思います。

**與那覇**：ここで注意したいのは、1冊目で採り上げた梅棹忠夫『文明の生態史観』は、原型となった同題の論考が1957年。当時はマルクス主義史学の力が強く、封建制といえば「近代化を遅らせるネガティブな抑圧の体制」の意味だったのを、正反対に位置づける主張が斬新に受けとめられました。
対してその後の高度成長を経て、丸谷さんの本が出た84年となると、すっかり……。

**呉座**：そうなんです。80年代には「江戸東京学」がブームになり、貧しい農民が年貢を搾取される暗黒時代のようなイメージは薄れて、むしろ豊かな町人文化と都市生活が育まれた「現代の消費社会の起源」としての江戸時代像が流行しました。両国の江戸東京博物館（93年開館）も、建設懇談会が設置されたのは81年です。
封建制と呼ばれた時代にも「いいものはいっぱいあるじゃん」とする空気が前提になり、歌舞伎を楽しむ町人の姿を掘り起こす研究が広く読まれて、丸谷さんの本もその流れに乗っている。ほぼ同時に作家の神坂《こうさか》次郎さんが出した『元禄御畳《おたたみ》奉行の日記』も、従来はお堅いイメージが強かった武士が、町人の文化である歌舞伎・浄瑠璃《じょうるり》にはまる姿を一次史料（『鸚鵡《おうむ》籠中記』）から復元した作品でした。実は同書が、私の『応仁の乱』が抜くまではずっと、歴史の分野で「最も売れた中公新書」だったんですよね。

**與那覇**：なので丸谷さんも、自身の本を88年に文庫に入れる際のあとがきでは、楽しそうに神坂さんの本を紹介していますね。自分が描いた「芝居に影響される武士」のイメージを神坂著が補ってくれて嬉しかったが、しかしそれなら書く上で『鸚鵡籠中記』も読んでおけばと悔しかった、みたいに(笑)。

国際的に見ても、江戸時代の力士の雷電《らいでん》為右衛門から採ったYMOの「RYDEEN《ライディーン》」は80年の曲でしたが、82年に英国盤が出るなど世界のクラブでヒットしました。日本の近世って実はポップで、生産より消費が重視されるポストモダンな社会の先駆けかもしれないよと。そんなムードがあったわけです。

**呉座**：ええ。いま振り返ると、それもちょっと「明るい江戸時代」に偏りすぎた評価ではあったのですが、宮崎市定を踏まえて議論したとおり、「近世」という時期の重要性は変わらないとも言えます。

冷戦期には発展途上の地域も豊かになれば、自ずと西洋化すると思われていました。しかし今や、あらゆる世界が西欧と同じ社会に移行するという歴史観は「幻想」だとはっきりした。だとすると、これからの進路を考える上では、「近代」よりも「近世」の方が参考になるのではないか。世界中が西洋化一辺倒に傾いた近代よりも、その一歩手前の時代の方に、それぞれの文明の本質が垣間《かいま》見えるはずですから。

## ❖「史実」と「物語」の入れ子構造

**與那覇**：そうした80年代の空気にふさわしく、『忠臣蔵とは何か』は戦前のモボ・モガの時代（１９２７年）に、芥川龍之介と徳富蘇峰《そほう》が「赤穂《あこう》四十七士の討入は派手な装束を着て、むしろ遊戯の感覚でやっていたんだ」と論じた挿話から始まります。つまり、主君（浅野内匠頭《たくみのかみ》）の仇《かたき》である吉良《きら》上野介《こうずけのすけ》を殺すガチンコの復讐劇のようでいて、その裏には「どうすれば見る人の目に映えるか」を意識する、大衆消費社会的なパフォーマンスの意識があったというわけですね。

具体的には、鎌倉時代の冒頭に起きた「曾我《そが》兄弟の仇討《あだうち》」という、江戸時代の武士にも町人にも知られた著名な武勇伝があった。赤穂浪士たちもそのストーリーに乗せて自らを演出することで、広い共感を獲得したのだと。これが丸谷説の骨子ですよね。

**呉座**：ええ。時代順に整理しますと、まず①１１９３年に起きた「史実」としての曾我兄弟の仇討があります。源頼朝（前年に征夷大将軍）が富士で主催した巻狩りに、曾我十郎・五郎の兄弟が忍び込んで、父の仇である工藤祐経《すけつね》を討った。兄の十郎はその場で殺され、弟の五郎は捕らえられて処刑されます。

これがフィクション化されたのが②『曾我物語』で、鎌倉時代末に独特の漢文体で叙述された真名本《まなぼん》『曾我物語』、南北朝・室町時代に敵討《かたきうち》の劇的展開に重きを置いた仮名本『曾我物語』が成立しました。遊女との恋愛を盛り込んだり、頼朝配下の著名な武将たちが「この兄弟こそ真《まこと》の武士」と褒《ほ》めたたえて仇討を支援したりといった、ドラマチックな要素が加味されている。ここは、丸谷さんもかなり詳しく分析していますね。

**與那覇**：そして③1703年に「史実」としての赤穂事件が起きる。まず1701年に赤穂藩主だった浅野長矩《ながのり》が、江戸城内で吉良義央《よしひさ》に斬りつけ、切腹・改易《かいえき》となる（当時の将軍は徳川綱吉）。こうして赤穂の所領を没収され、浅野家は途絶えかけますが、家老の大石内蔵助《くらのすけ》らが御家再興を期しつつ、03年に討ち入って吉良を殺す。大石らは全員切腹となったものの、将軍綱吉の死去後に浅野家は旗本として再興され、宿願は果たされると。

これをフィクション化したのが有名な忠臣蔵、すなわち④1748年に大坂で初演された『仮名手本忠臣蔵《かなでほん》』ですね。幕府の禁制を憚《はばか》って舞台を『太平記』の時代に移したものの、観客は誰もが赤穂事件のことだとわかる作りになっていた。最初は人形浄瑠璃でしたが、すぐに歌舞伎としても人気を博し、後には映画やテレビドラマで時代劇の定番になって、今日に至ります。

そして丸谷説によれば、そもそも③の時点で、現実の赤穂浪士たちが「曾我物語のような仇討をしよう」と、そう意識していたのだと。だから①〜④は時空を超えて、ひと連なりの物語として分析しうるということになる。呉座さんが歴史学者として気になるのは、おそらくこのあたりでしょうか？

**呉座**：まさにそこです。あらかじめお断りすると、③の赤穂浪士が②の『曾我物語』を参照したという推定は、仮説としては十分成り立つと思います。丸谷さんも触れるとおり、討入以前から綱吉が治める江戸では歌舞伎の「曾我もの」が人気だったので（141頁以下）、浪士たちが「庶民の共感を集めるために『俺たちも曾我兄弟だ！』で行こう」と考えても不思議ではない。ちなみに、いまは寿司の詰め合わせの名称になっている『助六《すけろく》』も、元はそうした曾我物語の脚色から生まれた、歌舞伎の定番演目のひとつですね。

しかし丸谷さんには①と②を混同している節がある。②の『曾我物語』では、兄弟と親しかった遊女の「虎」が仇討の後、兄弟を弔《とむら》うための旅に出る。すると駿河《するが》国で、兄弟が富士郡六十六郷の「御霊神」として祀《まつ》られている社に出くわし、仇討は無駄ではなかったことを知るストーリーになっている。

**與那覇**：「地元の人も、あなたたちの命を懸《か》けた行いが人の道として正しい、意義のあるものだったと認めて、魂を祀ってくれているよ」ということですね。

**呉座**：はい。なのでフィクションとしての曾我物語が、兄弟の怨霊を慰《なぐさ》める「御霊信仰」を反映しているというのは、丸谷説の言うとおりです。もともと『曾我物語』の原形は瞽《ご》女《ぜ》（盲目の女性芸能者）たちによる「曾我語り」だったと言われています。中世の芸能は宗教と密接不可分ですから、『曾我物語』を語るという行為そのものが、鎮魂の機能を果たしていたのでしょう。

ところが丸谷さんはそれを①にも投影して、現実の曾我兄弟が工藤祐経を討ったのも、亡父の怨念を晴らすためであったと。だから②を参照して行われた③、つまり史実としての赤穂事件も「無念の切腹を遂《と》げた浅野内匠頭の怨霊を弔おう」という動機で行われたと。これはさすがに飛躍があって（苦笑）、①③ともにそれを示す史料はありません。

## ❖秩序への不満を解消する「擬似《ぎじ》革命」

**與那覇**：さすが「実証史学ブーム」の立役者らしい指摘が入りましたが（笑）、そもそも史実としての①の仇討については、呉座さん自身が『頼朝と義時』（講談社現代新書）で歴史学の学説を整理していますよね。曾我兄弟にとって「父の仇」は工藤祐経だけど、その祐経は源頼朝の側近に出世していたので、むしろ合わせて頼朝を殺すことの方が「本命」だったと見る向きも多いと。

**呉座**：そうなんです。鎌倉幕府の公式な歴史書である『吾妻鏡《あづまかがみ》』によれば、兄弟は祐経を討った後も「十番切り」と呼ばれる奮戦を経て頼朝を斬ろうとする強い意志を見せており、親の仇討だけが目的とは思えない。なので、頼朝を亡き者にして幕府の実権を握る陰謀の一環だったとする見解は多く、北条時政（政子の父）や源範頼《のりより》（頼朝の弟）が黒幕に推定されがちですが、しかしこれも史料がないので真相は不明としか言えません。

**與那覇：**興味深いのは、丸谷さんはそこを踏まえた上で、②の『曾我物語』は本当は頼朝を殺して鎌倉幕府を否定したいのだが、できないので代わりに祐経を討つ話、つまりは代理としての「王殺し」の物語だと。そして本物の王様を殺すのはリスクが高いので、身代わりである「贋《にせ》の王」を殺して社会の秩序を保つ思考は、フレイザーの『金枝篇《きんしへん》』を典型として人類学的には広く見られる現象だと、こう位置づける（164頁）。

いわゆるスケープゴートですが、同じ構図は④の『仮名手本忠臣蔵』にも見出せる。これが丸谷さんの一番の主張ですよね。つまり、本当は「生類憐《しょうるいあわれ》みの令」（1682年頃から）の悪政で知られた将軍綱吉を殺して、徳川幕府を倒したいのだけど、そんなことはできない。だから代わりに、幕府の高官である吉良上野介（歌舞伎の中では室町幕府の宰相・高師直《こうのもろなお》）を討ち取る物語が、カタルシスを提供したと。こちらはいかがですか？

**呉座：**やはり同じ問題があって（笑）、フィクションとしての④歌舞伎の忠臣蔵に喝采を送ることで、江戸の観客たちがスカッとしていた。そこには幕藩体制と呼ばれるような、近世の身分制秩序の全体を否定したい欲求が込められていた、という解釈ならあり得るんです。ところが丸谷さんは、同じ構図を③史実としての赤穂事件にもあてはめて、大石が吉良を討ち取った際に「本当に殺したいのは綱吉、お前だぞ！」と受けとった庶民が多かったと言いたげですよね。その仮説はやっぱり無理があるわけです。

ただし、忠臣蔵をスケープゴートの論理で読み解く試みには意味があります。高度経済成長を達成した１９７０年頃から、歴史学でも日本を論じる際の問いの立て方が変わってくる。公害問題や世界的な人口爆発への懸念《けねん》から、科学技術の発展によって社会が右肩上がりによくなるとする「進歩史観」の妥当性が疑われ始め、日本で革命が起きない理由についても「まだ進歩が足りない（封建的な要素が残っている）から」とは違う答え方が必要なのではないかと。そう模索する動きが高まっていきます。

**與那覇**：50年代なら「忠臣蔵は『封建道徳』である。そんなコンテンツをいまだに楽しむ遅れた人々だから、日本人は革命を起こせない」と言っていればＯＫで、だから人類学者の梅棹忠夫が「いや、封建制って結構いいものですよ」と唱えることがカウンターになった。その構図が経済的に豊かになることで、変わってきたわけですね。

丸谷さんの本が示唆するのは、むしろ「忠臣蔵には、シミュラークルのような形で擬似的に王殺しを体験させる要素があった」、その点では近世日本は高度な消費社会を先取りしていた。そうした舞台の上の擬似革命が人々を満足させていたから、庶民が立ち上がって幕府を倒す本物の革命は起きなかったと。

**呉座**：まさにそれが、丸谷さんのいちばん言いたいことだと感じましたね。日本の進歩的な知識人がずっと抱えてきた、なぜ日本ではフランスのような「市民革命」が起きなかったかという問いに、新たな角度から答えを出そうとした。

## ❖ 敗戦の記憶と一体だった「怨霊史観」

**與那覇**：面白いのは、近世の日本には近代的な市民革命への欲求自体を解消してしまう、ある意味で「ポストモダン」な統治の技術があったとも言えるのだけど（笑）、丸谷さんの筆致はそうした方向には行かないんですよね。

むしろ、非常にプリミティブ（原初的）な王殺しの発想、世界のどこの地域でも文明が成立する以前に体験した社会のあり方が、日本ではずっと残っていた。それが結果的に、幕府への不満を劇場で発散させ、穏和で安定した「徳川の平和」をもたらしたという書き方になっています。

**呉座**：一見するとプリミティブな思考様式が、実は後々の時代まで社会の基層に残り続けて、支配や反逆を支える論理として機能していますよと。そう捉える歴史の見方が、社会史や民衆思想史の形で探究され始めたのも、1970年代からの歴史学界の特徴でした。第3章で名前を挙げた網野善彦は、そうした潮流が生んだ最大のスターですね。

また丸谷さんも181ページで言及していますが、哲学者の梅原猛が『水底《みなそこ》の歌』を刊行したのも1973年。古代の歌人・柿本人麻呂は政争で殺され、万葉集は人麻呂を鎮魂するための歌集である。いつの時代も日本文化とは、そうした怨霊を鎮《しず》めるための芸能・祭礼として発展してきた……と唱えるいわば「怨霊史観」で、国文学の専門家に全否定されるなど論争を呼んだのですが、しかし一般の読者にはとにかく人気がありました（苦笑）。

**與那覇**：調べてみて驚きましたが、『水底の歌』が新潮文庫に入るのは83年で、丸谷さんの『忠臣蔵とは何か』の前年なんですね。また、呉座さんと一時論争した作家の井沢元彦さんも、デビュー作の『猿丸幻視行』（講談社文庫。民俗学者の折口信夫《しのぶ》を主人公とする歴史ミステリー）は80年の刊行で、ベースは完全に梅原史観です。

80年代の前半には「もう十分豊かになったから」として消費社会論が流行る一方、「敗者の怨念が日本史を動かす」といった怨霊史観も人気を博す、明るいのか暗いのかわからない世相がありました。85年には当時の中曽根康弘首相が、靖国神社を初めて「公式参拝」して物議を醸《かも》しますが（主に中国からの抗議を踏まえ、一度きりに）、その意味もこうした文脈を踏まえないと理解できないでしょうね。

**呉座**：1985年は「戦後40年」でしたが、中曽根さんをはじめ、戦争に行った世代がまだ現役で、政財界はもとより社会の随所《ずいしょ》でトップを担う時期だったんですよね。平成以降のバーチャルなネット右翼と異なり、本当に戦場を体験した人が、戦死者の慰霊・鎮魂という問題にわが事として向きあっていました。

なので靖国問題でも、当時の保守派の主張は抽象的なナショナリズムのロジックではなく、国家として英霊を祀るのは「自分と、亡くなった戦友たちとの約束だから」という情念に根差していた。そうした時期だからこそ、日本史はすべて「怨霊で切れる」といった歴史観がポピュラーになった。実証的な歴史学の側も、なんでも怨霊で説明する通俗的な「怨霊史観」は否定しつつも、古代から確かに続いてきた「御霊信仰」（怨霊を御霊として祀ることで、その怒りを鎮める信仰）への研究を深めていきます。

丸谷さんもそうした動向に釣られて、曾我兄弟も赤穂浪士も「怨霊を慰めるため」に仇討をしたと。そこは歴史学者として同意できませんが（笑）、どういった切り口があれば史実への関心の有無を超えて、日本の読者が共通した「歴史の語り」を持てるかを考えることは大切だと思います。梅原猛さんの怨霊史観が学問的には不正確でも、戦争への鎮魂と相まって、一時はそうしたフォーマットを提供したことは間違いない。

たとえばいま、芸能人が両親のルーツをたどる『ファミリーヒストリー』（ＮＨＫ）のような番組が人気ですよね。でも、あれに視聴者が感情移入できるのって、結局はどのゲストも父母や祖父母の代に「戦争で苦労した」という話題が出てくるからなんですよ。

それ抜きだったら「この人の父方はこんな家系です」と紹介されても、他人事にしか思えない（苦笑）。つまり、いまだに歴史観の「戦争体験依存」は続いていて、しかしその有効期限が切れる日は近づいています。

與那覇：大事な問題ですよね。最近だと２０１５年の「戦後70年」の際には、当時の安倍晋三首相がどんな歴史認識を表明するかが注目され、談話を検討する会議にどの学者が選ばれるかまでもが話題を呼びました。でも、来年の２０２５年だって「戦後80年」ですが、いまそんなことを気にする雰囲気は微塵《みじん》もない（笑）。

実は梅原さんの『水底の歌』が出る前後、１９６９～74年にかけては、自民党が毎年のように靖国神社を国家管理に戻す法案を国会に出し、左右のあいだで激しい争いを呼びました（すべて審議未了廃案）。同書を引用する丸谷さんも含めて、「なぜここまで怨霊にこだわるのか」という謎は、そうした感覚抜きでは伝わりにくい。

## ❖「近世の武士」は矛盾した存在

與那覇：さて怨霊史観には「特定の時代のバイアス」があったことを踏まえて、ぜひ呉座さんにうかがいたい。主君の浅野内匠頭の「怨霊を晴らすため」ではなかったとすると、ずばり、「史実」の方の赤穂事件で、武士たちが討入を決断した理由はなんでしょう。

**呉座**：赤穂浪士にも多様性があり、最も性急に討入を主張した「江戸急進派」の堀部《ほりべ》安兵衛と、「しばらく待て」として入念な準備を説いた大石内蔵助では、だいぶ違うんです。

堀部の主張は、自分はそれなりに武名の高い武士である（１６９４年の「高田馬場の仇討」で活躍し、剣客として江戸で広く知られていた）。そんな自分が、主君が切腹に追い込まれても仇をとらず、のうのうと暮らしていたら、町行く人にすら腰抜けだと笑われる。それでは武士のメンツが立たないから、一刻も早く討ち入らせてくれと。

逆に家老の体験を持ち、浪士のまとめ役だった大石は、なにより大事なのは主家である浅野家の再興であり、いま内匠頭の弟である浅野大学が後を継げるように根回し中だ。その途中で討入をやってしまったらすべてご破算だから、まずは待てという立場になります。

**與那覇**：なんだか、暴力団の若頭《わかがしら》と組長みたいな感じですね（苦笑）。組織の末端にいる構成員は「他の組にナメられていいんですか！」と即時報復を主張し、しかし中枢を担う側は「とはいえ、組が丸ごとガサ入れで警察に潰される口実は作れない」と。

いずれにしても「内匠頭の怨霊を慰撫《いぶ》せねば」とは言っていなかったわけですが、呉座さんの専門に則して言うと、堀部安兵衛は気質的に「中世の武士」で、大石内蔵助は「近世の武士」である。そう理解していいわけですか？

**呉座**：まさにそうです。中世の武士は新興のヤクザというか、半グレ集団みたいなもので、「俺はケンカが強い。ナメられない、ビビらない」といった個人のメンツがすべて。しかし近世に入ると、そうした武士を大名家ごとにまとめて所領を統治する「地方公務員」にしたので、仕える家を存続させることが第一になります。組織の一員として内部の和を乱さないことが、江戸時代から武士に求められ始めたわけです。

とはいえ、武士が持つこの二面性は根本的に矛盾しており、堀部は大石にこう言い返すんですよ。「もし浅野家が再興され、仮に百万石を与えられても、『あの家の武士はヘタレだ』との評判が残るならなんの意味もない」と（『堀部武庸筆記』）。

**與那覇**：それは厳しいな（笑）。ちょっともう、組の若い者を統制できそうにない。

**呉座**：『武士とは何か』（新潮選書）でも論じましたが、「統治者」としての近世武士の仕事がうまく行くほど、武力を行使する必要自体が薄れて、「戦闘者」たる中世武士の本領を発揮する機会は来なくなる。武士道の聖典のように思われがちな『葉隠《はがくれ》』（１７１６年頃。実際には当初は禁書）は、この矛盾をなんとか解消しようと、近世期にえんえん知恵をひねった結果の産物なんです。

有名な「武士道というは死ぬことと見つけたり」とは、本来奇妙な論理で、中世の武士は「戦いに勝ち、生き残ってナンボの存在」ですから命を惜しみます。ところが江戸時代には、命を懸けて戦う機会がそもそもない。なので武士らしさを発揮しようとしたら、安全な場所で「死を恐れないぞ」とわざわざ唱え、「むしろ積極的に死を求める」という心構えをアピールしないといけなかった。言葉だけの勇ましさです。

**與那覇**：ある種のバーチャル・リアリティですよね。今の日本人も時代劇や戦争映画を見て、「もし俺が坂本龍馬ならこうする」「あのときこう戦えば勝てた」とやりがちですが、もうそんなチャンスは来ないとわかっているからこそ、空想の世界でヒロイックな暴力を発散する。

**呉座**：まさにそのとおりで、現実の赤穂浪士の討入が喝采を浴び、歌舞伎の形で後世に名を遺《のこ》すことになったのは、それが当時における「例外」だったからです。江戸幕府が発足して100年になり、もう「ライブ」で見ることは決してないと思われていた、中世武士の論理が爆発する姿を見せてくれた！　と。

## ❖幕末から戦後を貫くデスパレートな情念

**呉座**：丸谷さんも指摘していますが、歌舞伎の『仮名手本忠臣蔵』には、中国の水滸伝《すいこでん》を翻案した『通俗忠義水滸伝』の影響が見られます（206頁）。しかし水滸伝って本来「任俠《にんきょう》もの」で、ヤクザの仁義の話ですよね（笑）。幕府の官僚となり、お行儀のよい統治者として務めるのではなく、「忠義」の一枚看板で振るうアウトロー的な暴力こそが「武士の本質でありカッコいい」とする価値観は、江戸時代の平和の下でも潜在し続けました。

こうして中世武士のエートスは、芸能をはじめとするフィクションに埋め込まれて後世に伝わり、幕末に再度「解凍」されて大爆発を起こすことになります。

**與那覇**：脱藩や尊王攘夷運動、そして明治維新というわけですね。このとき主力となった下級藩士には、家格秩序の下で自分たちの「実力」が正しく評価されないことへの不満があった。喧嘩《けんか》師のメンツと実力競争への欲求と、その双方がダブルで「同時解凍」されたからこそ、日本史上かつてないエネルギーを発揮したと。

ここで面白いのは、丸谷さんは現実の赤穂事件の解釈として、儒教思想の影響をわざわざ否定しているでしょう。『礼記《らいき》』に「父の仇は必ず殺す」との旨が書いてあっても、赤穂浪士がそこまで影響されたとは思えない。せいぜいが自分たちの行為を文書で正当化する際、儒者に頼んで理屈をこしらえてもらったくらいではないのかと（79頁）。

一方で幕末の志士になると、徳川家が天皇の意思を踏みにじるのは不忠であり、取り除くべき専横だと。儒教に由来する国体論を本気で信じて、討幕運動をやるようになる。だから赤穂事件のように「一度きりで終わり」ではなくて、最後は体制をひっくり返すまで続いた。こうした理解でＯＫでしょうか？

**呉座**：基本的にはそのとおりだと思います。つまり思想的な「正義」の追求も重なった、ダブルどころかトリプルな憤懣《ふんまん》の暴発が時代を動かしたわけです。

一方で気をつけたいのは、尊王攘夷の志士には「滅びの美学」みたいな論理も出てくるんですね。たとえば長州藩士は1864年、敗北しかあり得ない禁門の変を起こす際に、湊川で戦死した「楠木正成に倣《なら》うのだ」といった言葉を残していたりします（『忠正公勤王事績』）。

**與那覇**：勝つために戦う中世武士とも、泰平を維持する能吏だった近世武士とも異なる、ヒロイックだけどデスパレート（破滅的）な独自の気風が生まれてきたわけですね。後の戦時下の玉砕思想とか、戦後だと三島由紀夫の最期に通じる発想でしょう。

**呉座**：切腹を覚悟で仇討を敢行した点では、赤穂事件はそちらの起源だったとも言えます。しかし実際の赤穂事件を詳しく見ると、仇討を誓って盟約に署名したものの、実は途中で抜ける藩士も結構いたんですよ。彼らの言い分が史料に残っていて、要は「命を捨ててまで討入に加わるほど、内匠頭から恩を受けた覚えがない」と（笑）。

これは第2章で宮崎市定を読みながら議論した、双務契約という意味での「封建制」の論理であり、その点では中世的なモラルです。しかし、当然ながら討入派の藩士は「恩が少ないとか多いとか、そういう問題ではない！　仕える御家にはどこまでも尽くすのが忠義である」と激怒している。

ここが日本の近世の特異な点で、武士が官僚となり自力救済（＝自らの武力で権利を守る）を放棄した点では、社会の合理化が進んだわけです。ところがその「御家」の組織原理は、中世までは存在した双務性（＝受けた恩に見あう分しか奉公しない）を失い、ひたすら片務的に滅私奉公を強調する、非合理で思考停止的なものになってしまった。

**與那覇**：いまでもブラックな部活や職場で、よくある弊害の原点ですよね。

## ❖無思想な日本を動かす「感情の共有」

**與那覇**：日本文明のコアが見えてきた気がします。第3章で井筒俊彦を引きながら、イスラームとはヤクザどうしの抗争的な部族主義を、「思想の共有」という形で乗り越える営みだったと論じました。対して日本の場合は伝統的に、なんらかのイデオロギーを通じて広範な共同体を作る試みが弱く、幕末〜戦前の皇国史観くらいしか先例がないと。

　赤穂四十七士は、自分も最後は死ぬとわかって吉良への報復に及んだわけだから、強い共同性を持つとともに「原理主義的」な結社だったとも呼べます。しかしその紐帯には、儒教をはじめとした思想の裏づけがまったくない。

　面白いのは赤穂事件が起きた後、「あの事件はなんだったのか。浪士に切腹を命じたのは正しかったか」を江戸の儒者たちが議論するでしょう。81ページから、そのあらましを丸谷さんがまとめていますが……。

**呉座**：山崎闇斎《あんさい》という共通の師に学んでいても、佐藤直方と三宅尚斎で意見が分かれたという箇所ですね。直方は、浅野内匠頭は「幕府に切腹を命じられた」のであって、別に吉良に殺されたわけではない。だから家臣が吉良を襲ったのは逆恨《さか》みであり、よってその仇討は義挙とは呼べないから、赤穂浪士の切腹は妥当だと主張する。
　これに尚斎が「吉良のせいで内匠頭が罰を受けた」とは言えるだろうと反論すると、直方いわく、なんだそのこじつけはと。両親が家で夫婦ゲンカをした後、父親はイライラして出仕したために粗相《そそう》を犯し、罰として死刑になった。そのとき「父さんが罰せられるきっかけは、元はと言えばお前じゃないか」として母親に斬りかかる子がいるのかと（苦笑）。儒教も含めて、思想的なロジックでは赤穂事件はうまく説明できない。

**與那覇**：そもそもの発端である、浅野内匠頭が吉良に斬りつけた件にしても、実はどういう理屈なのかは不明なんですよね。

一般には吉良が「賄賂を要求した」「赤穂の塩田の技術を教えろと求めた」、しかし内匠頭が断ったから嫌がらせをしていた、と語られがちですが、丸谷さんは76ページで一蹴していいます。いずれも後世に作られた辻褄《つじつま》合わせの合理主義に過ぎず、単に内匠頭の魂が荒ぶって吉良を襲った。そう素直に理解すべきだと。

**呉座**：ここは歴史学者としても、丸谷説に完全に同意です（笑）。丸谷さんも使用している『浅野内匠頭家来《けらい》口上書』という、浪士たちが討入の動機を語る犯行声明文のような史料がある。そこでの大石内蔵助の主張を、行間を補って意訳するとこんな感じです。

なぜわれらの主君である内匠頭は吉良を斬ろうとしたのか。それはわからない。しかし江戸城中でそんなことをすれば、御家取潰《とりつぶし》になることは自明であった。にもかかわらず斬りつけたということは、内容はわからないけれども、そこまでやらねばならぬと思わせる激しい怒りがあったのだ。だからその怒りを、われわれ家臣たちは受け継いで吉良を殺した――と。つまり理屈は一切なくて、あるのは感情の共有だけなんですね。

## ❖「安倍元首相暗殺」まで忠臣蔵で解釈する人々

**與那覇**：そう聞いてふと、瓜《うり》二つだなと思うことがあるんですよ。誰もが知るとおり2022年の参院選の最中に、安倍晋三元首相が射殺される事件が起きました。

ところが犯人の山上徹也被告の言い分は、許せない相手は(旧)統一教会で、安倍さんの政治はむしろ嫌いではなかった。しかし統一教会のガードが固くて襲《おそ》えずにいる間に、安倍もどうやら統一教会と接点があったとわかったので、代わりに安倍を殺すことにしたと。正直なにを言っているのか、理屈としてさっぱりわからない。

ところが日本の社会はこのとき、佐藤直方のように「その論理は破綻している」とは指摘しないんですね。むしろ「わけがわからないが、それでも政治家の殺害に踏み切るほどの怒りがあったんだ。だったら、その怒りを晴らさせてあげよう」と。それでメディアを挙げて統一教会へのバッシングに走り、テロリストが願ったことを叶える形になってしまった。

**呉座**：実際に「山上被告は『義士』だ」と発言して、擁護する有識者までいましたよね（苦笑）。また丸谷説によれば、江戸の庶民は自力では暴君綱吉を追い出せなかった分、忠臣蔵の芝居に擬似革命を見て留飲を下げたわけですが、選挙で安倍政権を倒せなかった人たちが、テロでの射殺に喝采する構図も見られました。

丸谷さんいわく、コピーとしての忠臣蔵によって完全に上書きされたことで、原型である『曾我物語』は徐々に読まれなくなりますが、その忠臣蔵すら平成には年末の「時代劇スペシャル」で目にする機会も減り、若い世代は必ずしも知らない存在になっていった。だから令和に安倍射殺事件のようなことが起きると、記憶がない分「無自覚」に、かつてと同じ構図をなぞってしまうのかもしれません。

**與那覇**：そこは非常に重要なポイントで、229ページで丸谷さんが有益だった先行研究として、佐藤忠男『忠臣蔵　意地の系譜』（朝日選書、１９７６年刊）を挙げるでしょう。佐藤さんは海軍の少年飛行兵として敗戦を迎えた後、プロの映画評論家の草分けになった人ですが、彼は忠臣蔵と太平洋戦争を重ねて大事なことを述べています。

『歴史なき時代に』でも紹介しましたが、論理抜きに感情だけで共感し「この人の思いを遂《と》げさせよう」とする正義感で行動する忠臣蔵の論理は、ひとつ間違うと危ういと。吉良によるイジメを耐え忍ぶ様子を映画で見ていると、その後の仇討まで一直線に没入してしまうように、「日米交渉でアメリカに意地悪を言われました」から始まる戦争ドラマに接すると、日本はなにも悪くないぞという気持ちになってしまう。

**呉座**：対米開戦を決意した際の東条英機も、アメリカに勝てないと理屈ではわかっているが「中国大陸に没した英霊の『気持ち』を思うと、その無念を晴らさせる以外の選択はできない」といった心境だったようですね。そのせいで銃後も含めて、もっと多くの日本人が死ぬことになるのですが、しかし国民の大多数は開戦を熱狂的に支持しました。

第4章で読んだ高坂正堯のリアリズムとは、そうした「お気持ち」しか有効ではない日本政治の意思決定に対し、ちょっと待てとストップをかけるものだったわけです。しかしそれは忠臣蔵にも表れている、日本文明の思考様式をどこまで抑制できるのか。令和の世相を見ても正直、自信が持てなくなってきますよね。

## ❖為政者を「時の運」と捉えた中世のモラル

**與那覇**：第１章で触れたサミュエル・ハンチントンの『文明の衝突』は、日本を独立したひとつの文明として扱い、その当否が（主に日本で）議論を呼んだこともありました。しかし日本は歴史的に独自のコースを歩みながら、なぜいつまでもイデオロギー以前の「プリミティブな感性」だけで営まれる文明のままなのか。それを考えるヒントも、丸谷さんの本から見えてきたように思います。

42ページと158ページで、『曾我物語』から同じ箇所を引用するでしょう。捕らえられた曾我五郎がなぜ頼朝に従わないのかと聞かれて、あいつは父の仇の側の人間だし、なによりも「御威勢《ごいせい》におされて」いまの地位にいるに過ぎない。平家を倒したのだって偶然で、本来は甲乙つけ難かったのであり、だから頭を下げる謂《い》われは特にないんだと。

**呉座**：よくも悪くも歴史上の権力が、統治の正統化にイデオロギーを使わないんですよね。鎌倉幕府の成立は中国史でいうと南宋の時代なので、時期的には儒教を採り入れて「鎌倉殿は聖人としての政治を行う。だから従うべきだ」と説くこともできたはずなんですよ。実際、この時期、南宋に留学した禅僧が朱子学関係の書物を持ち帰っています（和島芳男『中世の儒学』吉川弘文館）。

ところが徳治主義による正統化がなされないうちに、源氏の将軍は断絶して桓武平氏の北条氏が実権を握ると、共に天皇家から分かれた「源氏と平家は交互に政権を担うべきです」といった奇妙な交替史観が語られるようになる（兵藤裕己『太平記〈よみ〉の可能性』講談社学術文庫）。中世の日本社会では天皇家の血統が至高のものとされ、そこから「近いか遠いか」の距離で序列が作られていたため、儒教的な徳に基づく秩序は入ってきても定着しない。

鎌倉幕府を倒した後醍醐天皇の「建武新政」を、儒教型の王権を日本で築く試みとして捉える学説もかつてはありましたが、しかしその内実も中途半端なものだったことは、以前に與那覇さんと議論したとおりです（前掲『歴史がおわるまえに』）。日本人が「思想で国を作った」と言えるのは、尊攘運動の帰結としての明治国家がようやく最初で、平和憲法の理想をうたった戦後民主主義が二番手でしょうね。

**與那覇**：興味深いのは明治維新を経ても、「曾我五郎の言い分」は生きていた節がある。戦時中に太宰治が故郷を訪れて書いた、紀行文『津軽』（岩波文庫ほか）を読んでそう思いました。

陸軍に入って大将まで出世した、一戸《いちのへ》兵衛という弘前《ひろさき》の名士がいたと。ところが太宰の聞いた噂《うわさ》では、彼は里帰りのときは堂々たる軍服を着用せず、ウールの袴《はかま》で防寒だけして和装で戻るようにしていた。東北は戊辰《ぼしん》戦争で佐幕派の拠点にもなったので、明治政府は「たまたま勝って」いまの権力を手にしたに過ぎないと、そう見なす視点が津軽にはあった。それがわかっていたから、一戸大将は官位を誇らず「運よく勝ち馬に乗れただけです」と、謙虚に振る舞ったというわけです。

**呉座**：なるほど。それこそ『平家物語』の有名な「娑羅《さら》双樹の花の色、盛者必衰《じょうしゃひっすい》の理《ことわり》をあらはす」を典型として、日本人の場合、国の権力なんて一時的なものですよと。たまたま運がよかった人が手にするだけで、それを忘れて奢《おご》った者は滅ぶんだとする感覚の方が、むしろモラルになるんですよね。

## ❖ 徳川綱吉以来の「意識高い系」揶揄

**呉座**：日本の権力は中国やイスラームと異なり、イデオロギーで権力を正統化することで「この政権は道徳的に正しいがゆえに、統治するのだ」という方向には進まない。梅棹忠夫風に言えば、「第二地域とは違う」ということです。

しかし第一地域でも、ヨーロッパならキリスト教で正当性を裏づけたりするのに、それもない。であるならば実は、日本こそが最も「第一地域的」な文明で、だからこそいつまでも変化しないいんだと。そう考えられる気もしてきます。

**與那覇**：海外から思想を採り入れて、自分の正しさを誇ろうとする「意識の高い」為政者も定期的に出てくるのだけど、そういう人って日本では嫌われて長続きしないんですよね（苦笑）。丸谷著だと126ページに、徳川綱吉の儒学かぶれの描写があります。

要するに、近臣が「殿の学問の深さは、そのへんの儒者の及ぶところではありませんな」とおべっかを使ったら、逆に綱吉に「儒教とは本来、君主が実践する統治術だ。中国では昔からそうだったのだから、単なる読書家より将軍の私が長じているのは当然だ」と怒られたと。いわば綱吉は政教一致の状態にある、「第二地域の君主」を模範としていたことになりますが、ここは歴史学的に見てどうでしょう。

**呉座**：おおむね妥当な綱吉像だと思います。即位時の皇統における後醍醐天皇がそうだったように、綱吉は徳川家の血筋の点で傍流だった分、儒学を用いて自身の統治を正統化しようとした。有名な生類憐みの令も、その一環だったと言えます。理念ばかり振り回すそうした綱吉の政治が、大名から庶民まで広く嫌われていたのも史実です。

むしろ武士研究者として批判せざるを得ないのは、69ページの戦国法の解釈ですね。丸谷さんは民俗学的な周圏論《しゅうけんろん》の発想で、日本は地方に行くほど古い時代の基層文化が残っているとする。だから戦国時代の長宗我部元親《ちょうそかべもとちか》式目（高知）や塵芥集《じんかいしゅう》（伊達氏。宮城）といった分国法（戦国大名の法律）を挙げて、「御霊信仰による古い習俗としての敵討が辺境に生きながらへたあげく、つひに法制化されたもの」だと言うのですが……。

**與那覇**：さすがにそこは僕も変だと思いました（笑）。丸谷さんはそれらの法令を「敵討を公認した」ものだと書いていますが、実際には逆ですよね。

**呉座**：そうなんです。戦国大名がめざしたのは、勝手に敵討をされて御家の結束を乱されては困るので、なるべく規制したい。だから「これこれの場合に限っては」従来どおり敵討ちをやってもよいよ、それ以外は今後禁止だよ、と法令に明記した。つまり、原則は禁止です。それを丸谷さんは、敵討の解禁が行われたかのように取り違えている。

しかし逆にいうと、主君に統率された官僚としての近世武士を生み出す過程でも、敵討を「全面禁止」して武士から中世的な性格を一掃することが、いかに困難だったかを示す史料として読むことはできます。なぜ日本文明からはプリミティブさが消えないのか、それを考える着眼点として忠臣蔵や敵討に注目するセンス自体は、間違っていません。

## ❖歌舞伎もライトノベルも「停滞社会」の古典

**與那覇**：僕自身も『中国化する日本』で書きましたが、日本文明の個性が定まったのは「江戸時代だ」という点は、これまで多くの識者が指摘してきました。しかしその江戸時代なるものが、「原初的」にも「超近代的」にも見える鵺《ぬえ》のような性格をしている。それもまた、日本人がなかなか妥当な自国史像を持てずに来た原因でしょう。

丸谷説によれば忠臣蔵とは、文明以前の段階では実際に行われたプリミティブな王殺し（ないし贋王殺し）を虚構として再演する芸能だったし、呉座さんの観点で見ても、中世武士の素朴なケンカのエートスが埋め込まれている。しかし丸谷さんの分析を丁寧に追うと、むしろ近代ないし「歴史が終わって以降」のカルチャーを先取りした側面も見えてきますね。まさしくポストモダンということですが。

たとえば233ページから、『仮名手本忠臣蔵』の終幕では早野勘平の魂も弔うのだと、そうした趣旨の解説があります。勘平はもちろん、芝居で創作された架空のキャラクターですが……。

**呉座**：そこは私も面白いと思いました。早野勘平は『仮名手本忠臣蔵』に登場する架空の赤穂浪士で、一般には腰元《こしもと》のお軽との「恋愛要素」を入れるために創作されたキャラクターだとされます。討入の資金を調達するために、お軽は芸者として身売りする。ところが色んな行き違いのために、勘平はお軽に責任を感じて切腹し、討入には加われない（図

図9　『仮名手本忠臣蔵』より
早野勘平腹切りの場面

出所：東京都立図書館

9）。

ところが討入を果たした後、大石内蔵助（歌舞伎では大星由良之助）は懐から財布を取り出し、「勘平も資金の調達を通じて、討入に協力してくれたのだ。だから彼もまた忠臣なのだ」との旨を述べる。このシーンを丸谷さんは「怠慢《たいまん》と忍従の正当化」という、痛烈な皮肉で要約していますね（236頁）。討ち入らなかった勘平も義士だよと認める演出を通じて、忠臣蔵を見る観客もまた「俺たち自身は武器をとっていないけど、でも彼らを応援した点で十分戦ったんだ」といった気持ちになれると。

つまり吉良だけを殺して、綱吉には手をつけない忠臣蔵自体が「擬似革命」なのだけど、その擬似革命にすらビビって加わらない人をも「それでいいよ」と承認する。なにひとつ本人はリスクを負わない、単なる共感の表明だけでも肯定する究極の包摂性をもつエンタメが、江戸時代に生み出されたというわけです（苦笑）。

**與那覇**：今でいうと、クラウド・ファンディングの長短ですよね。気軽にお金を寄付できる半面、それだけで「いいことをした」気になれてしまう結果、本当に社会について深く考え、自分の責任で行動するモラルを失わせてはいないかと。

第2章で伝統中国の胥吏と対照しましたが、最近は行政と結びついたＮＰＯも多いでしょう。そうすると「ふるさと納税を僕らに送って、この社会事業を応援してください」みたいになりがちで。単に税金を納めただけなのに、なぜか社会を変えようと努めた感覚にさせてしまう（笑）、擬似ですら革命を試みない状態が生まれています。

**呉座**：身銭を切っているなら立派な方で、ネット署名に名前を記入しただけで「自分は被害者に寄り添い、弱者と連帯したぞ」と誇る例もありますからね。その裏では、なぜ自分と対立するアカウントのＳＮＳ投稿に「いいね」を押したんだ、取り消さないなら「お前は敵だ」と因縁《いんねん》をつける人も出てきたりする。

オンラインのそうしたつながりは「意識が高い」ように見えて、実際には思想的な結社とすら呼べるものではありません。思想以前の「好き・嫌い」「快・不快」で世界を二分する、小学校の学級会のような争いに没頭するうちに、社会をよりよく変えるという目標は見失われてゆきます。

**與那覇**：また現在と対照するなら、96ページも興味深い。歌舞伎ではよく「この鮨《すし》屋の店員、実は正体は、源氏の追討から身を隠す平維盛《これもり》で」といった演出がある（『義経千本桜』）。そこには折口信夫が述べた貴種流離譚《きしゅりゅうりたん》、すなわち高貴なものほど現世では卑しい姿に身をやつし、苦労させられるものだとする発想も息づいている。

丸谷さんの見立てでは、こうした歌舞伎の趣向は近世の身分制社会に倦《う》んだ観客が、「俺だって今は下層の町人でも、実は……」のように日常の清涼剤として楽しむものだったと。

**呉座**：中世史家としては、第3章で触れた本地垂迹説（＝日本の神は仮の姿であり、実は仏教の仏である）を思い出しますが、最近のライトノベルとも似ていますよね。今はニートだけど、実は本人も知らない出自があって、異世界に転生したらそこでは最強の魔導師みたいな（笑）。

**與那覇**：ええ。停滞社会の沈鬱《ちんうつ》さをどう晴らすかというときに、近世だったら「前世では俺は」のように過去に目を向けた。ポスト近代のいまは、「別の時空や世界線に行ければ」と未来に期待を投げる。そこが違うだけで、歌舞伎の頃から日本人の想像力はあまり変わっていないのではないでしょうか。

## ❖同調圧力と「冷笑系」の永遠の争い

**與那覇**：日本文明がこれまで、プリミティブさを濃厚に湛《たた》えながら続いてきたのは、やっぱり本質的に「停滞を好む社会」だったからだと思うんですよ。停滞という呼び名が悪ければ、現状維持への志向が強い。

むしろ明治以降の近代化、さらには戦後の高度成長のような激変期だけが日本史上の「例外」で、今日の停滞は単にそれ以外の状態、つまり日本における「常態」に戻っているだけなのかもしれません。

**呉座**‥私が『戦争の日本中世史』で訴えたテーマとも重なります。南北朝統一後の「室町の平和」って、戦後の日本とどこか似ているんですよ。「なんだかよくわからないが、とにかく平和になった。じゃあとりあえず、それを大事にしよう」といった、イデオロギーもリアリズムも欠いたままでの現状維持ですね。

それが崩壊する様子を描いたのが『応仁の乱』ですが、日本史上で最大の画期と呼ばれる争乱を調べてわかったのは、どうしてそんな大ごとになったのか、はっきりした原因が何もないということでした。そんな本がなぜヒットしたのか、正直いまもわかりませんが(笑)、この国の本質を期せずして衝《つ》いたのかもしれません。日本では現状が自ずと維持されるか、自ずと壊れてしまうかのどちらかで、「主体的」に秩序を守ったり変えたりした時代は稀少ですから。

それ自体は特に、恥ずかしがることでもないのかもしれない。しかし世界の他の地域には、イデオロギーやリアリズムで動く諸文明がひしめいていて、日本もそれらと没交渉ではいられない。だからこそ歴史に裏づけられた文明論が必要になるというのが、この対談を通じたコンセプトでした。

**與那覇**：そうして見たとき、さらっとしか書かれていませんが、173ページからの丸谷さんの分析は、今後の日本にとって大切な気がします。『仮名手本忠臣蔵』が大当たりをとり、定番となった結果、やがてパロディにする作品が出てきます。その最大のものが、１８２５年に鶴屋南北の書いた『東海道四谷怪談』。「イギリス船がしきりに浦賀に来航するころ」、つまり鎖国してきた近世日本の平和の終わりが予感されつつあった時代の作品だと、丸谷さんは強調する。

『東海道四谷怪談』の主人公は民谷伊右衛門《たみやいえもん》で、散々裏切った末に妻（お岩さん）を毒殺する凶悪なプレイボーイだけれど、なんと赤穂浪士でもあるというのがミソなんですよね。もちろん主君の仇を取ろうとはしない「不義士」だけれど、こうした造形が幕末の日本人にはすごく受けた。それを丸谷さんは「この色悪《いろあく》の浴びた喝采が、実は十九世紀前半の江戸の幼い近代思想ないし合理主義の、率直な表現だつた」とまで位置づけます。

**呉座**：すでに論じたとおり、主君の仇を討つには「吉良を殺すべきだ」という赤穂浪士の忠義って、論理的には中身がないんですよね。あくまでも感情の共有だけで、その意味では浅野家内部、ひいては世間の「同調圧力」に過ぎなかったとも言える。

丸谷さんが言いたいのは、そんな忠義なんて「知るか。つきあってられるかよ」と。そうしたニヒリズムの形でしか、日本文明の内側から個人主義は生まれ得ないんじゃないか。リベラルとしてのそうした諦観《ていかん》ですよね。

いま風に言えば「冷笑系」みたいな気風が、江戸時代も最末期になると出てきたわけですが、もう少し健全な形で「個人」というものが内発的に生まれる流れは、日本には他になかったのでしょうか。

## ❖歴史に支えられた「個人」でいるために

**與那覇**：僕の知るかぎり、丸山眞男が描く福沢諭吉は、そうしたモデルを見出すために創られたイメージという印象があります。１９４７年に書いた「福沢諭吉の哲学」で、丸山は福沢の個性を褒める意味で「天邪鬼《あまのじゃく》」と呼んでいる。「時の『輿論《よろん》』と反対の立場に立ち、わざわざ時代的風潮と逆の面を強調する様な『天邪鬼』的態度」と。

時代の空気が一色に染まりそうになったとき、本能的に「本当にそれだけか？」と距離を取り、問題提起のためにあえて「逆の考え方もあるのでは？」と提言する。こうした天邪鬼こそが、日本で成り立つ数少ない自由主義の担い手であり、逆に丸山がネガティブ・ワードとして使うのが「惑溺《わくでき》」です。ひとつの考え方に没入しきり、一切の異論を拒絶した空間で全能感を誇る姿勢ですね。

示唆が深いことに、丸山は「公式主義と機会主義とは一見相《あい》反するごとくにして、実は同じ『惑溺』の異った表現様式」だとも述べている（『福沢諭吉の哲学　他六篇』岩波文庫）。忠臣蔵に当てはめるなら、これが忠義だと言われれば疑わずに墨守《ぼくしゅ》する四十七士（公式主義）もダメだけど、すべては運と偶然だけだ、くだらねぇやと冷笑する伊右衛門（機会主義）だって、ニヒリズムに酔うだけの同類だと。

**呉座**：健全な意味での「逆張《ぎゃくば》り」が必要だ、ということですよね。しかしそれを日本の土着の語彙で表現しようとすると、丸山にしても「天邪鬼」といった言葉しか持ってこれない。ここが苦しいところでしょうね。

しかも今日では、定められた「正解」以外の発言を許容しない風潮が高まり、「天邪鬼」

はキャンセル・カルチャーの対象にされがちです。個人の主体性を尊重してきたはずの欧米諸国でも、すっかりリベラリズムの「公式主義化」が進みました。ポリティカル・コレクトネスは典型ですが、コロナ禍の最中は「医者にすべて従え」、ウクライナ戦争では「民主主義を守るため、プーチンを倒すまで戦うべき」のような。

こうなるともはや、冷戦下のように「日本の自由主義」が遅れている、とする認識では的《まと》を外してしまう。むしろ自由や科学も含めた「近代社会の論理」だけで、全世界を覆い尽くそうとする試みの、矛盾や限界が露呈しつつある時代なのでしょう。

**與那覇**：実際になにが逆張りなのか自体が、ころころ変わりますよね。「自粛もロックダウンもムダ」「ウクライナは勝てないと思う」というのは、問題の発端の時点で言ったら文字どおりの逆張りでした。しかし1年経つとそうでもなくなり、2年経てばすっかりネット上の世論に化けて、むしろ新たな「正解・公式」になってしまう。

**呉座**：結果として広まるのは、伊右衛門的な悪い意味での「個人主義」だけ（苦笑）。なにが正しいかなんて毎年変わるんだから、刹那《せつな》的な快感を最大化し、自分がいま楽しめるなら他人の気持ちなど考えなくていいやと。

平成のあいだは匿名《とくめい》掲示板「2ちゃんねる」の創設者として、むしろ多くの人が眉《まゆ》をひそめる対象だったひろゆき（西村博之）氏が、令和にはすっかりお茶の間の人気者になりました。その背景にも、相手を強い言葉で「論破」できる人が実力ある存在で、一貫性など気にしなくていい。マウントをとった瞬間の「勝った快感」さえ味わわせてもらえれば、それでもう別にいいとする空気を感じます。

すべての価値観が相対化されるのがポストモダン社会の特徴ですが、日本人にとってのそれは、元からなかった思想性がより空疎になり、誰もが伊右衛門化する「ポスト忠臣蔵」を体験することでもあった。そんな風にまとめられそうです。

**與那覇**：そうなりますね。僕としてはそうした刹那主義を止めるためにこそ、過去から続いてきた「歴史」という時間軸の回復が大切だと思ってきました。それを文明史の手法と組み合わせるなら、世界を多元的なものとして捉えることで、単純な公式主義の弊害を和《やわ》らげることにもつながります。

しかし――どうにもそれがうまく機能する実感が持てなくて、最近はもう「歴史学者」

を名乗るのもやめました。あとは呉座さんにお任せしますよ（笑）。

**呉座**：いやいや、そこでニヒリズムに「惑溺」するのはよくないでしょう（笑）。私自身が意図せずに創り出してしまった、実証史学のブームに抗して、あえて文明論のスタイルで歴史を考えてきたこの対話は、それ自体が「逆張り」的なものになったかもしれません。

しかしそこからもう一度、採り上げた5冊の書物が刊行時に持っていたような、世界の自明性を根底から疑い、読み手の知性を触発する歴史の働きが、甦《よみがえ》ることを期待したいですね。いま、少しでも同じように感じる読者がいるなら、われわれ2人の対談は成功と言えると思います。

# おわりに

日本の大学で長く教えている知人から、気になる話を聞いた。

コロナパニックやウクライナ戦争の頃から、授業の紹介文に「戦争」という語彙を入れると、履修者が目に見えて少なくなるというのだ。元号が平成のあいだには、まずなかった現象らしい。

アメリカの大学に滞在歴のある友人からも、重なる話を耳にすることが多い。

ポリティカル・コレクトネスの風潮が染《し》みとおった今日の米国では、「マイクロ・アグレッション」（微細な加害）なる概念が強調される。つまりは「ほんのちょびっと」でも相手を嫌な気持ちにさせたら、ハラスメントとして告発されうるということだ。

なので大学教員は授業のたびに、「戦場のドキュメンタリーを鑑賞します（不快に感じるかもしれません）」「使用する映画に女性への暴力シーンがあります（不快に……）」「黒人差別を描いた作品を読みます（不快に……）」とお断りを出すらしい。そんなことで戦争や差別を克服する教育ができるかは疑わしいが、みんなわが身がかわいいのである。

ポスト冷戦期に話題になった『ジハード対マックワールド』(ベンジャミン・バーバー、原著1995年。邦訳は三田出版会)という書物がある。それに倣えば、冷戦後の平和が崩れゆくいま露《あらわ》になっているのは、「ジハード対クリーンワールド」の弁証法だろう。

ウクライナ戦争が、プーチンの目線ではルシアン・ジハード(ロシアの聖戦)に見えていることはまちがいない。ハマスの文字どおりのジハードを力で根絶しようと図るネタニヤフの軍事作戦も、逆説ながら「シオニズムのジハード」と化している。

これに対し、そうした加害的で危うい光景は「見せない環境を作ろう」とうたう人たちが先進国にいる。特に大学や学会にいる。彼らの作るクリーンワールドには、摩擦や暴力を連想させるものすらあってはならない。そんな空間に戦争のリアルを持ち込めば、学生も受講に二の足を踏み、去ってゆく。

その結果は皮肉なものだった。いまや米国の公的な場所では、ガザのパレスチナ人に「思いをはせよう」と表明しただけでも、反ユダヤ主義として排斥されかねない。ユダヤ系の方がアラブ系よりも、アメリカのマイノリティとしては圧倒的に強者だからだ。

ジハードの「悪しき」論理が吹き荒れる世界を議論の俎上《そじょう》に載せず、ノー・ディベートで見なかったことにするのは、ＳＮＳで異論をブロックして回るのと大差ない。そうして作られた「クリーン」な空間の内側でも、ヒエラルキーや権力政治はなくならず、よりねじれた暴力の噴出を生むだけだろう。

歴史学とは本来、事実の学である。つまりはクリーンなストーリーに反しても、ダーティなファクトを採る学問だ。そもそも時代を遡《さかのぼ》るほど、クリーンに生きようにも生きられなかった過酷な世界が姿を現すのだから、歴史学は根本のところで「クリーンワールド」には向いていない。

むしろいま歴史学がなしえる貢献は、なぜすべての人類で一つのジハードだけを共有できないのか。自らがよって立つ論理のあり方を、ここまで文明ごとにバラバラにしてしまったものはなにか。それを各文明の形成史から、探ることだろう。

ところが学者とは堕落する生き物で、史実を曲げてでも本人の「クリーンぶり」をアピールし、メディアで生き残る道具に歴史を流用する人もいる。たとえばヒトラーやナチスのような「絶対悪」を持ち出し、いかに自分がそれを全否定する「正しいジハード」に従軍中かを喧伝するといったやり方だ。

嗤《わら》うべき知的な怠惰である。ゼレンスキー政権の全体を「ネオナチ」と呼ぶロシアのプロパガンダの歪みは明らかだが、独ソ戦下にドイツの側につくことでソ連からの独立を策した、ステパン・バンデラを標榜する勢力がウクライナに存在することは事実だ。

少なくとも彼らの視点では、ナチスは「良いこと」もしたのである。そう主張する、私たちにとって十分にはクリーンでない人々とも手を組まなければ、プーチンの侵略という「悪いこと」に対抗できない。世界はそこまで、追いつめられている。

中世の戦争や暴力という、ダーティな側面から目をそらさず日本史の展開を意味づけてきた呉座勇一氏は、私の敬愛する数少ない歴史学者だ。近日、多少の舌禍《ぜっか》のために「クリーンワールド」からの迫害も蒙《こうむ》ったが、反省すべきは反省して、こうして仕事を共にできることを嬉しく思っている。

冒頭で紹介した知人の言によれば、今日の大学であえて「戦争」を扱う授業に顔を出すのは、疎外される少数派としての意識を持つ学生が多いという。外国籍だったり、身体に障害があったり、心を病んで休学していた人——社会的な弱者であるがゆえにこそ、困難を「見ないですまそう」とするクリーンさに違和を覚える人たちだ。

本書が世界を俯瞰《ふかん》する視座を求めるマジョリティにも益する一方で、そうしたマイノリティとのよき架け橋になることを願っている。池田信夫さんとの前著に続き、今回も企画・編集を担当された、ビジネス社の中澤直樹さんに深く感謝したい。

２０２４年３月23日

與那覇　潤

<著者略歴>

**呉座勇一**（ござ・ゆういち）

国際日本文化研究センター助教。1980年、東京都生まれ。東京大学文学部卒業。同大学大学院人文社会系研究科博士課程修了。博士（文学）。専攻は日本中世史。『戦争の日本中世史』（新潮選書）で第12回角川財団学芸賞受賞。『応仁の乱』（中公新書）は48万部超のベストセラーとなった。他の著書に、『頼朝と義時』（講談社現代新書）、『日本中世への招待』（朝日新書）、『一揆の原理』（ちくま学芸文庫）、『陰謀の日本中世史』『戦国武将、虚像と実像』（角川新書）など。

**與那覇 潤**（よなは・じゅん）

評論家。1979年、神奈川県生まれ。2007年、東京大学大学院総合文化研究科博士課程修了。博士（学術）。当時の専門は日本近現代史。地方公立大学准教授として7年間教鞭をとった後、17年に病気離職。20年、『心を病んだらいけないの？』（斎藤環氏との共著、新潮選書）で小林秀雄賞。21年の『平成史』（文藝春秋）を最後に、新型コロナウイルス禍での学界の不見識に抗議して歴史学者の呼称を放棄した。他の著書に、『中国化する日本』『知性は死なない』（文春文庫）、『長い江戸時代のおわり』（池田信夫氏との共著、ビジネス社）など。

**教養としての文明論**

2024年6月1日　　第1刷発行

著　者　呉座 勇一　與那覇 潤

発行者　唐津 隆

発行所　株式会社ビジネス社

〒162-0805　東京都新宿区矢来町114番地 神楽坂高橋ビル5F
電話　03(5227)1602　FAX　03(5227)1603
https://www.business-sha.co.jp

〈装幀〉大谷昌稔
〈本文組版〉有限会社メディアネット
〈印刷・製本〉株式会社 ディグ
〈営業担当〉山口健志
〈編集担当〉中澤直樹



ISBN978-4-8284-2627-3

ビジネス社の本

# 長い江戸時代のおわり

## 「まぐれあたりの平和」を失う日本の未来

池田信夫／與那覇潤……著

2020年代——大陸が島国を飲み込む危機。令和を「劣化平成」にしないために。自由で強い社会へ道筋を示す。

本書の内容

第1章　軍事——ウクライナ戦争で「平和主義」は終わるのか
第2章　政治——「自民党一強」はいつまで続くか
第3章　経済——「円安・インフレ」で暮らしはどうなるか
第4章　環境——「エコ社会主義」に未来はあるか
第5章　中国——膨張する「ユーラシア」とどう向きあうか
第6章　提言——日本の未来も「長期楽観」で

定価　1650円（税込）
ISBN978-4-8284-2423-1